Boehn, N

Miniaturen und Silhouetten

Ein Kapitel aus Kulturgeschichte und Kunst

Boehn, Max von

Miniaturen und Silhouetten

Ein Kapitel aus Kulturgeschichte und Kunst

Inktank publishing, 2018

www.inktank-publishing.com

ISBN/EAN: 9783750123731

MINIATUREN
UND
SILHOUETTEN

EIN KAPITEL
AUS KULTURGESCHICHTE
UND KUNST

VON

MAX v. BOEHN

2. AUFLAGE

F. BRUCKMANN A.-G., MÜNCHEN

By

INHALTS-VERZEICHNIS

Verfasser und Verleger möchten auch an dieser Stelle allen, welche sie bei der Herausgabe dieses Bandes unterstützt haben, danken. Ganz besonders fühlen sie sich den Herren Geheimrat Dr. Jessen, Direktor der Bibliothek des Kunstgewerbe-Museums in Berlin, und Geheimrat Dr. Seidel, Direktor des Hohenzollern-Museums in Berlin, verpflichtet.

DIE MINIATUR
UND IHRE GESCHICHTE

HOLBEIN d. J., MÄNNLICHES PORTRÄT

v. Boehn, Miniaturen u. S., Tafel 1

Abb. 1. Holbein d. J., Selbstbildnis

Die Technik.

Unter Miniatur verstehen wir ein Gemälde kleinsten oder allerkleinsten Umfangs, in erster Linie ein Bildnis. Der Name hängt mit der Buchmalerei des Mittelalters zusammen. Miniator nannte man den Schreiber, der in die mit schwarzer Tinte ausgeführte Handschrift die großen Buchstaben, Kapitel- und Satzanfänge mit roter Farbe „Minium" einzeichnete. Aus dieser Tätigkeit entstand allmählich die Kunst der Miniaturmalerei in Deckfarben mit Goldhöhung, eine Kunst, die im fünfzehnten Jahrhundert zu höchster Blüte gelangte. Schon früh findet man in den mittelalterlichen Handschriften Darstellungen, die man als Bildnisse ansprechen möchte. Meist handelt es sich um die Widmungsblätter, Szenen, in denen der Verfasser sein Werk einem Fürsten oder einer Fürstin überreicht. Wenn dieser Vorgang auch mit der größten Sorgfalt hinsichtlich der Kostüme und des Schmuckes ausgeführt zu sein pflegt, so erscheint es doch mehr als zweifelhaft, ob man in den Gesichtern der handelnden Personen Porträtzüge erkennen darf.

Das eigentliche Bildnis erscheint erst am Ende des Mittelalters mit dem Augenblick, in dem die Renaissance den in tausend Fesseln geschmiedeten Menschen zur Per-

— 9 —

Abb. 2. H. Holbein d. J., Heinrich VIII.
von England

sönlichkeit befreit. Bis dahin war der Einzelne in allen Beziehungen seines Lebens in der Masse untergegangen und durch alle Verhältnisse staatlichen, bürgerlichen und kirchlichen Lebens korporativ gebunden gewesen. Das Einzelwesen gewann erst Bedeutung, sobald es in Korporationen, Zünften, Orden, Bruderschaften mit anderen seinesgleichen zusammengeschlossen war. Solange dieser Zustand währte, konnte ein Interesse am Porträt kaum erwachen, erst die Renaissance, welche menschliche Größe nicht in der Masse, sondern in der hochentwickelten Persönlichkeit suchte, verlangte nach dem Bildnis, denn sie wollte auch in Haltung und Gesichtszügen Wesentliches und Bedeutendes erkennen. Die großen Maler der italienischen Früh-Renaissance waren die ersten, die wirklich getreue Abbilder ihrer Zeitgenossen in Fresken und Tafelbildern geschaffen haben.

In der Buchmalerei taucht das Bildnis weit später auf, als wirklich ähnliche Porträts wird man erst die Schöpfungen von Jean Clouet (1485—1544) ansprechen dürfen. Er war Maler des französischen Hofes und hat beispielsweise in eine Handschrift der „Commentaires de la guerre gallique", die sich heute in der Bibliothèque Nationale in Paris befindet, Bildnisse von Hofleuten in der Größe eines Fünf-Francsstückes eingemalt. Die Sammlungen des Herzogs von Aumale in Chantilly, das British Museum und wohl noch andere Bibliotheken bewahren ähnliche Stücke seiner Hand. Das Porträt im Kleinen war damit fertig, man durfte es nur mehr aus dem Buche entfernen, einrahmen oder fassen, um eine Miniatur im heutigen Sinne zu besitzen. Dieser letzte

— 10 —

Schritt oder Schnitt, wenn
man lieber will, soll nach
Henri Bouchot zu der Zeit
geschehen sein, als König
Karl VIII. sich anschickte,
seinen berühmten romanti-
schen Zug über die Alpen
anzutreten. Da hätten die
Ritter, die den König nach
Italien begleiteten und sich
auf lange, vielleicht für
immer von den Damen ih-
res Herzens trennen muß-
ten, diesen wenigstens ihre
Bildnisse zurückgelassen
und solche ihrer Schönen
dafür mitgenommen. Der
galante Franzose mag mit
seiner zartsinnigen Vermu-
tung recht haben, erhalten

Abb. 3. H. Holbein d. J., Anna von Cleve

hat sich indessen aus dieser Zeit kein Stück, das diese
Behauptung zu stützen vermöchte, denn die frühesten Ein-
zelminiaturen, die man kennt, gehen nicht vor das zweite
Drittel des sechzehnten Jahrhunderts zurück.

Das Einzel-Kleinbild konnte auf zwei Wegen erreicht
werden, einmal, indem die Tafelmaler ihre Formate immer
mehr beschnitten und ihre Farben immer spitzpinsliger
aufsetzten, dann durch die Buchmaler, die ihr mit Wasser
oder Deckfarben angefertigtes Bildchen aus der Handschrift
lösten und durch eine Fassung isolierten. Die Technik der
Miniaturmalerei verrät diesen zweifachen Ursprung. Viele
Miniaturen des sechzehnten und siebzehnten Jahrhunderts
sind in Ölfarben auf Blättchen von Kupfer, Silber, Schiefer,
manchmal sogar auf Gold ausgeführt, ihre Verfertiger kamen von der Staffelei der großen Kunst. Die Mehrzahl der
Miniaturmaler bediente sich nicht der Ölfarben, die sich
für diesen Zweck so wenig eignen, sondern der Deckfarben
(Gouache) oder der Wasserfarben. Sie wählten als Malgrund
Pergament oder Karton, Holbein und einige der aus seiner
Schule hervorgegangenen Künstler benutzten mit Vorliebe

— 11 —

die Rückseite von Spielkarten. Bei dieser Art der Ausführung bleibt der Grund stehen und wird vom Maler als Ton für Gesicht und Hände benutzt, alles übrige aber mit Lagen von kleinen Streifen und Punkten bedeckt.

Es war ein großer Fortschritt, als am Ende des siebzehnten Jahrhunderts das Elfenbein als Malgrund aufkam. Lemberger kennt zwar eine Miniatur auf Elfenbein aus dem Jahre 1577, die Herzogin Dorothea Ursula von Württemberg darstellend,

Abb. 4. Hilliard, Maria Stuart

es ist die früheste deutsche Miniatur auf diesem Material, aber eine Ausnahme; zu allgemeiner Bedeutung gelangt das Elfenbein erst ein Jahrhundert später. Es wurde nicht so bald bekannt, als es auch sofort die übrigen Materialien in den Hintergrund drängte. Die Vorzüge des Elfenbeins gegenüber dem Pergament oder Papier bestehen in der zarten natürlichen Transparenz, die es dem Inkarnat mitteilt. Ein auf Elfenbein angelegter Teint bekommt eine durchsichtige Frische, einen Schimmer von Blut und Leben, wie ihn in dieser Wärme und Zartheit kein ande-

Abb. 5. Hilliard, Gabrielle d'Estrées

— 12 —

rer Grund herzugeben vermag, Papier behält stets etwas Kalkiges, Pergament aber spielt fast immer ins Gelbliche. Die Technik vervollkommnet sich seit der allgemeinen Verwendung der Elfenbeinplatten in außerordentlicher Weise; in der Mitte des achtzehnten Jahrhunderts besaßen die französischen Miniaturmaler bereits 17 bis 18 verschiedene Töne für die Nuancierung der Fleischfarbe, Jean Baptiste Jacques Augustin (1759—1832) hat diese Zahl sogar bis auf 25 verschiedene Tinten gesteigert. In Paris konnte man zur Zeit Ludwig XV. die Farben, die der Miniaturmaler brauchte, bereits im Handel fertig kaufen, während der Ölmaler immer noch darauf angewiesen

Abb. 6. Isaak Oliver, Familienbild

war, sich seine Farben selbst zu bereiten. Um die Transparenz des Elfenbeins wenn möglich noch zu steigern, legte man oft eine Zinnfolie darunter, deren Glanz die Leuchtkraft der Farbe erhöhte, im Laufe der Zeit aber durch Oxydation das Gegenteil bewirkt hat und das Kolorit jetzt häufig schwer und trübe erscheinen läßt. Die Künstler haben in der Erfindung allerhand kleiner Kunstgriffe miteinander gewetteifert, um ihren Erzeugnissen immer neue Reize mitzuteilen und durch immer neue Verbindungen von Material, Farbe und Zutaten neue und überraschende Wirkungen zu erzielen. So erfand Armand Vincent de Montpetit († um 1800) eine Technik, die man eludorische Malerei nennt. Die Malerei wird dabei in Ölfarben auf Leinwand oder Taffetseide ausgeführt und mit durchsichtigem Leim auf die Rückseite geschliffener Gläser geklebt. In dieser Technik, die in ihrem Effekt an

— 13 —

die Hinterglasmalerei oder Eglomisé erinnert, zeichneten sich außer dem Erfinder noch Genillon, Martin Drolling und Gérard von Spaendonck aus. August Grahl (1791—1868) kombinierte Ölfarben mit Elfenbein und ist sein ganzes Leben lang nicht müde geworden, in der Technik seiner Kunst zu experimentieren. Fast waren ihm die Studien über Farben und Material lieber, als die Ausübung der Malerei selbst, alle seine Entdeckungen aber sind, da er nichts aufschrieb, mit seinem Tode verloren gegangen. In England kam im siebzehnten Jahrhundert neben der gemalten Miniatur eine andere Art auf, die man Plumbago nannte. Das Bildnis wurde dabei mit Stiften und der Estampe angefertigt, so wie etwa der Kupferstecher Schwarzkunst-

Abb. 7. Isaak Oliver, Unbekannte Dame

blätter zu vollenden pflegt. Mit der Feder ausgeführte Miniaturen waren in dieser Zeit auch in Deutschland häufig, am Ende des Jahrhunderts zeichnete sich in Augsburg ein gewisser Johann Michael Püchler in Bildnissen aus, bei denen er Haar und Kleidung in Schriftzügen ausführte. Die Texte waren in der Regel eine Lebensbeschreibung des Dargestellten. Derartige Spielereien waren sehr beliebt, so hatte z. B. Hans Wechter in Erfurt 1640 das Bildnis König Christian IV. von Dänemark in Diminutiv-Schrift entworfen und dazu die 12 Kapitel des Predigers Salomonis, das fünfundzwanzigste Kapitel der Sprüche Salomonis, das fünfte Kapitel des Buches der Weisheit und das dritte Kapitel des ersten Buches der Könige verwendet. Ähnlich spielerischer

— 14 —

Abb. 8. Oliver, Familie Digby

17

Art sind andere Techniken, so führt Lemberger sogar gestickte Miniaturbildnisse an, in denen in der zweiten Hälfte des achtzehnten Jahrhunderts Karoline Friederike Schlözer in Göttingen glänzte. Auch die

Abb. 9. Hoskins d. Ä., Königin Henrietta Maria

Haarmalerei erfreute sich eine Zeitlang großer Beliebtheit, sie bestand weniger in einer eigentlichen Malerei, als in einer Art Mosaik aus verschiedenen gefärbten Haaren. In Paris waren Fontaine, Laine, Madame Moreau für die Feinheit ihrer Arbeiten berühmt, in Koburg hatte Johann Andreas Scharf sich die mühsame Technik dieses Verfahrens selbst neu ausgearbeitet und einen Schüler namens Walther darin gebildet. Es kam bei ihr weniger auf Bildnisse an, als auf kleine Szenen in der Art der gerührten Stimmung, wie sie damals Mode war: Gräber, Urnen, Obelisken als Sinnbilder der Vergänglichkeit, dazu Kränze, Trauerweiden und ähnliche Symbole des Schmerzes und der Trauer.

Neben diesen beiden rein malerischen Verfahren entwickelte sich zur gleichen Zeit, also von der Mitte des sechzehnten Jahrhunderts an, ein drittes Verfahren, aus einer ganz anderen Technik heraus, nämlich die Miniatur in Emaille. In den berühmten Werkstätten von Limoges, wo man die Kunst, Metallgeräte mit Schmelz zu überziehen, in größter Vollendung ausübte, begann Leonard Limousin Porträts in Emaille-Malerei auszuführen. Das erste Werk dieser Art soll ein Bildnis der Königin Eleonore, der Gattin Franz I. und Schwester Kaiser Karl V. gewesen sein, das er 1536 vollendete. Diese Technik bietet außerordentliche Schwierigkeiten, weil der Künst-

— 16 —

ler nur über eine geringe Anzahl von Farben verfügt, diese sich beim Brennen im Feuer aber noch zu verändern pflegen. Daher war die Farbe der eigentlichen Limoges-Emaillen dem Bildnis als solchem keineswegs günstig. Erst Jean Toutin, ein Uhrmacher aus Chateaudun, vervollkommnete seit 1632 die Emailletechnik von Limoges in einer Weise, daß er als der eigentliche Erfinder betrachtet werden kann. Wenn Leonard Limousin noch auf sechs oder sieben Farben beschränkt gewesen war, bereicherte er seine Palette um so viel Töne, daß er in Emaille ebenso wie mit Aquarellfarben arbeiten konnte. Henri Toutin, sein Sohn, erzog dann Jean Petitot, einen Künstler, den man als den größten, der in dieser Technik arbeitete, zu betrachten gewohnt ist.

Die Emaille-Miniatur eroberte sich rasch einen bevorzugten Platz, denn zu ihren Vorzügen gehört außer dem Glanz ihrer Farben eine außerordentliche Haltbarkeit derselben. Während Miniaturen in Deck- und Wasserfarben ihre Frische sehr bald einbüßen, wenn sie dauernd dem Licht ausgesetzt

Abb. 10. Cooper, Oliver Cromwell

werden, bewahren Emaillen ihre Leuchtkraft, ohne Schaden zu leiden. Den Glanz und die Glätte der spiegelnden Oberfläche von Emaillen hat man bald in einer Technik nachzuahmen gewußt, die weniger mühsam und daher auch weniger kostspielig waren, als die Emaille, in der Lackmalerei. Man gibt dabei der in Wasserfarben ausgeführten Malerei einen Überzug von durchsichtigem Firnis, der den Farben erhöhten Glanz und der Oberfläche spiegelnde Glätte verleiht. Im Beginn des achtzehnten Jahrhunderts soll diese Technik schon von Augsburger Handwerkern ausgeübt worden sein, zur Vollendung brachte sie in Paris kurze Zeit darauf Robert Martin. Er selbst und seine drei Brüder stellten größere und kleinere Möbelstücke her, die heute noch mit der Fachbezeichnung „vernis Martin", wenn sie im Handel erscheinen, phantastische Preise erzielen.

Abb. 11. Cooper, Lady Walter

In Deutschland machte sich Johann Heinrich Stobwasser einen Namen durch seine Lackarbeiten, die, seit er 1764 in Braunschweig seine erste Fabrik gegründet hatte, reißenden Absatz fanden und mehr oder weniger glücklich nachgeahmt wurden. Jakob Bodemer, ein Badenser Künstler, der um die Wende des achtzehnten zum neunzehnten Jahrhundert in Wien arbeitete, erfand sich ein besonderes Verfahren, das Emaille und Lack miteinander verband. Nahe verwandt in der Technik mit der Emaillemalerei ist die Malerei auf Porzellan, welche die gleichen Vorzüge besitzt wie jene und in der Herstellung mit den gleichen Schwierigkeiten zu kämpfen hat, verändern sich doch auch bei diesem Farben und Formen beim Brennen oft in einer

— 18 —

Abb. 12. Dixon, Lady Chesterfield

Weise, die selbst ein erfahrener Künstler nicht immer vor-
herzusehen vermag.

Das Gemeinsame aller Miniaturen, sie seien in welcher
Technik immer ausgeführt, ist ihre geringe Größe. Vielleicht
hat diese es veranlaßt, daß die Wissenschaft sich lange Zeit
überhaupt nicht um sie bekümmert hat, wahrscheinlich um
so geflissentlicher über sie hinwegsah, je lebhafter zu allen
Zeiten Sammler und Liebhaber sich dieser Kunstwerke im
kleinen angenommen haben. Fast scheint es unmöglich, sich
ihrem Reiz zu entziehen. Diese kleinen Kunstwerke, die meist
mit Schmuck- oder Gebrauchsgegenständen der Vergangenheit zusammenhängen, umgibt eine Atmosphäre von Inter-

Abb. 13. Zincke, Die Herzogin von Buckingham

esse, von Rührung, von Intimität, die den Produktionen der großen Kunst völlig zu fehlen pflegt. Sie haben den ganzen Charme bewahrt, der einst von ihnen ausging, als sie noch Pfänder der Liebe und Freundschaft Lebender waren, als schöne Augen sie feuchten Blickes betrachteten, als sie an klopfenden Herzen ruhten und ein Zeichen dafür waren, daß sie über Raum und Zeit hinweg die Seelen miteinander verbinden wollten. Sie scheinen aus längst verschwundenen Tagen ein ganz persönliches Moment in eine Gegenwart hineingerettet zu haben, die dem Empfindungskreise, der sie entstehen ließ, so ganz fremd geworden ist und sich doch so seltsam berührt fühlt, wenn lockende Blicke, lächelnde Lippen sie grüßen, als sei noch immer frisch und lebendig, was doch längst zu Asche wurde, die Schönheit, die Liebe und die Freundschaft. Diese weiche sentimentale Stimmung, die von ihnen ausgeht, hat die Miniaturen von jeher auch solchen lieb und teuer gemacht, die den Offenbarungen der großen Kunst mit Kälte gegenüberstehen, sie fanden Liebe und Sympathie auch ohne Kunstverständnis. Das ist sicherlich mit einer der Gründe gewesen, welche die Geringschätzung hervorriefen, die die eigentliche Kunstgeschichte der Miniatur bewiesen hat. Die Kunstwissenschaft hat ihre Abneigung so-

— 20 —

gar so weit getrieben, daß sie die Miniaturen auch dann mit Stillschweigen überging, wenn sie aus der Hand anerkannter großer Meister hervorgegangen waren. Das Werk Hans Holbeins ist gesichtet und gesäubert, nur über seinen Miniaturen liegt eine Unsicherheit, die durch die berechtigte Skepsis, mit der man diesem Teil seines Werkes gegenübersteht, vorläufig nur immer weniger erhellt, als weiter verdunkelt wird. Viele große Meister der Vergangenheit haben ihre Karriere mit Miniaturen begonnen: Peter Lely, Raphael Mengs, Raeburn u. a., die Kunstgelehrten aber haben diese Seite ihrer Tätigkeit gewöhnlich mit Worten abgetan, als hätten sich die Maler dieser Arbeiten zu schämen.

Der Mangel einer eigentlichen Entwicklung dieser Kunstübung, bei der es immer mehr auf Delikatesse und Sorgfalt ankam, als auf ein Aussprechen künstlerischer Individualität, hat es dann verschuldet, daß die auf Stilgeschichte eingeschworene Wissenschaft diese Werke eines minutiösen Fleißes einfach beiseite legte, oder sagen wir besser beiseite liegen ließ. Sie hat sogar bei Malern, die das Bedeutendste ihres künstlerischen Wirkens auf dem Gebiete der Miniatur leisteten, wie Füger, mit bedauerndem Achselzucken festgestellt, dieser Kleinkram sei für den Künstler hinderlich gewesen und habe

Abb. 14. Bartolozzi nach Cosway, Maria Cosway

— 21 —

ihn abgehalten, sich in der großen Kunst zu betätigen. Solche Anschauungen hat in bezug auf Füger sogar noch Carl von Lützow ausgesprochen, während der jüngste Biograph dieses Malers, Ferdinand Laban, wohl mit Recht bemerkt, daß die Werke, die Füger auf dem Gebiete der großen Kunst geschaffen, die klassischen Maschinen, niemals wieder Beachtung finden werden und das einzige, was den Namen Füger groß und berühmt macht, seine Miniaturen seien.

Erst als der Pesthauch des Klassizismus im Verdampfen war und die Kunst des achtzehnten Jahrhunderts wieder die Beachtung fand, die sie verdiente, als auf Ausstellungen

Abb. 15. Cosway, Isabella, Marquise von Hertford

neben den großen Staffeleigemälden auch die Pastelle und die Miniaturen dieses Zeitalters sich wieder ans Licht wagten, wurde das Interesse an ihnen wach. Zuerst war es natürlich England, das Land der großen Sammler, der großen

Sammlungen und einer niemals abgerissenen Tradition, in dem man auf wiederholten Ausstellungen das köstliche Material vor aller Augen ausbreitete und die Aufmerksamkeit auch der Kunsthistoriker erregte. I. L. Propert war wohl der erste, der 1887 in seiner History of miniature art eine Geschichte, vorzüglich der englischen Miniatur zu geben versuchte. Ihm sind dann andere gefolgt, wie Dudley Heath und vorzüglich George C. Williamson, der in einer ganzen Reihe gut und fleißig geschriebener und vorzüglich illustrierter Werke dieses Gebiet der Kunstforschung geradezu als seine Domäne angebaut hat. Williamson hat auch die

— 22 —

COSWAY, GEORG III.

Miniaturensammlung von Pierpont Morgan in einem Pracht-werke beschrieben, wie es in ähnlich verschwenderischer und luxuriöser Ausstattung nur amerikanische Milliardäre unternehmen können. In Frankreich hat der geistreiche Henri Bouchot die Geschichte der französischen Miniatur abgehandelt. Deutschland kam zuletzt, aber nicht an letzter Stelle. Nachdem die Wiener Kongreß-Ausstellung die Miniaturenschätze aus dem Besitz des Kaiserhauses und der österreichischen Aristokratie ansLicht gebracht hatte, entwarf Franz Ritter in dem Prachtwerk, das über diese Ausstellung veröffentlicht wurde, die Geschichte der österreichischen Bildnis-Miniatur, während Ferdinand Laban in seiner grundlegenden Studie über Heinrich Friedrich Füger die Bedeutung dieses größten deutschen Miniaturmalers würdigte. Dann haben die Monumentalwerke

Abb. 16. Cosway, Lady Orde

von Ernst Lemberger: Die Bildnisminiatur in Deutschland 1550—1850 und Eduard Leisching: Die Bildnisminiatur in Österreich 1750—1850 das Riesenmaterial, an das sich vor diesen Forschern niemand so recht heranwagte, zusammen-gebracht, geordnet und in glänzender Weise dargestellt. Heute verschmähen auch die Bildergalerien es nicht mehr, in eigenen Kabinetten die Miniaturen ihres Besitzes zur Schau zu stellen, wie man es z. B. in Berlin im neuen Kaiser-Fried-rich-Museum getan hat. Die größten öffentlichen Samm-

— 23 —

lungen dieser Art sind natürlich in solchen Museen zu finden, die in erster Linie das historische und kulturhistorische Interesse pflegen, wie etwa das Hohenzollern-Museum im Schlosse Monbijou, die Sammlungen des dänischen Königshauses im Schloß Rosenborg, jene im Schlosse Frederiksborg, welche die ganze dänische Geschichte illustrieren, die

Abb. 17. Cosway, Mrs. J. Stuart Wortley Mackenzie

ähnliche Sammlung zur schwedischen Geschichte im Schloß Gripsholm und viele andere mehr.

Die große Porträtmalerei ist ein Spiegel der Zeiten; in fast noch höherem Grade als sie, ist die Porträtminiatur als ein solcher zu betrachten, weil mit ihr noch mehr persönliche und individuelle Momente zusammenhängen, als mit dem Staffelei- oder Freskobild. Durch die Art ihrer Fassung und ihrer Verwendung gehört die Miniatur immer mehr oder weniger auch dem Kunstgewerbe an und zwar solchen Gegenständen, die ganz persönlichem Gebrauch dienten, so daß sie immer etwas von dem Wesen ihrer ursprünglichen Besitzer behalten zu haben scheinen. Man verfolgt in einer längeren Reihe

— 24 —

Abb. 18. Cosway, Lady Harcourt

von Miniaturen nicht nur den Entwicklungsgang der Kunst, sondern man gewahrt auch, wie die Gesellschaft eine andere wird, wie der Geschmack sich wandelt, die Bedürfnisse sich steigern und verfeinern. Die Maler, die im sechzehnten Jahrhundert Miniaturen malen, streben nach Aufrichtigkeit und Wahrheit, noch will jeder das, was er ist, auch mit Ernst und Überzeugung vertreten. Die Bildnisse dieser Zeit haben etwas Strenges und Herbes, selbst die berühmtesten Schönheiten, porträtierten sie auch die ersten Künstler, erscheinen ohne Anmut, so als habe der Maler wirklich nur ihre Züge im Auge gehabt und niemals die Seele, die aus ihnen sprach. Wie ganz anders schon das siebzehnte Jahrhundert, in dem der Maler sein Modell dem Schönheitsbegriff des Tages anzupassen versucht, in dem die bildnismäßige Treue einem Ideal geopfert wird. Man erkennt das schon daran, daß es außerordentlich schwierig ist, im Zeitalter Ludwig XIV. ein Damenporträt der höheren Stände zu finden, aus dem man sehen könnte, wie die Dargestellte wirklich angezogen war. So gut wie ausnahmslos sind die Gewänder idealisiert, denn wenn die Damen auch so frisiert sind, wie die Zeitmode es ihnen vorschrieb, ihre Gewandung ist meist völlig willkürlich gestaltet, sie wollten ja doch alle Nymphen und Göttinnen, mindestens aber berühmte Schönheiten des Altertums vorstellen. Dieses

Abb. 19. Cosway, Comtesse de Salisbury

— 25 —

29

Abb. 20. Cosway, William, Herzog von Devonshire

Umschmeicheln und Umdeuten wird im achtzehnten Jahrhundert zur Selbstverständlichkeit. Wollte die Dame vom Hofe des Sonnenkönigs idealisiert sein, so schwinden im Bildnis der Tochter und der Enkelin Wahrheit und Wahrscheinlichkeit völlig dahin; Puder, Farbstift und Schminke verhindern jede ernsthafte Charakteristik und lügen jedem Lärvchen schmachtende Süßigkeit und verführerische Lieblichkeit an. Die höhere Gesellschaft unterwirft sich einem Gesetz, das je weiter sie sich ausbildet und die nationalen Schranken niederreißt, vorbildlich und verbindlich für alle wird. Die Herren und Damen des sechzehnten Jahrhunderts haben noch charakteristische Züge, sie sind in ihren Bildnissen individuell differenziert, zweihundert Jahre später sind die Originale selbstverständlich auch noch voneinander verschieden, aber in ihren Porträts kommen diese Unterschiede kaum noch zur Geltung, denn sie fordern vom Maler, daß er sie so viel wie möglich dem gerade gesellschaftlich gültigen Ideal annähere. Das hat zur Folge, daß die Bildnisse, je länger wir der Miniaturkunst folgen, einander immer ähnlicher werden. In einer größeren Reihe von Miniaturen, etwa aus der zweiten Hälfte des achtzehnten Jahrhunderts, sind die einzelnen

Abb. 21. Cosway, Lady Foster

— 26 —

kaum voneinander zu unterscheiden, der gleiche Blick, das gleiche Lächeln, dieselben Rosenwangen und Purpurlippen machen es fast unmöglich, charakteristische Züge zu entdecken. Darin sind sich die großen Meister dieses Zeitraums auch ganz gleich, Engländer wie Franzosen huldigen den gleichen Vorurteilen, beziehungsweise müssen sie sich den gleichen Ansprüchen ihrer Auftraggeberinnen unterwerfen, von denen doch keine weniger süß und liebreizend zu sein wünschte, als ihre gute Freundin. Dieser Umstand macht auch das Bestimmen der Miniaturen dieser Epoche so schwer und hat in den Taufen, die sich die Bildchen von ihren Besitzern gefallen lassen mußten, zu so viel willkürlichen Bezeichnungen geführt.

Abb. 22. Cosway, Graf Carlisle

31

Die englische Schule.

Unter den Ländern, in denen die Miniaturmalerei einen besonders hohen Grad der Vorzüglichkeit erreicht hat, behauptet England einen gewissen Vorrang, denn es hat diese Kunst nicht nur sehr früh gepflegt, sondern sie auch schon in ihren Anfangsstadien Vollendetes erreichen sehen. Hans Holbein ist es, dem die englische Kunst die Vermittlung dieser Kunstübung verdankt. Der große deutsche Maler ist als Miniaturmaler der Schüler des Geraert Lucas Horembout, eines Flamen, der als Buchmaler einen großen Ruf genoß und hervorragende Werke seines Pinsels hinterließ, hat er doch einen Teil der Miniaturen des berühmten Breviarium Grimani in Venedig angefertigt. Mit geringen Unterbrechungen hat Holbein von 1526 bis zu seinem Tode im Jahre 1543 in England geweilt und sich am Hofe Heinrich VIII. hoher Gunst erfreut. Er hat den König, die verschiedenen Königinnen und die Hofgesellschaft verewigt, in Ölbildern, in Zeichnungen und in Miniaturen. Er führte diese letzteren in Wasserfarben auf Papier aus und benutzte dazu, wie schon erwähnt wurde, mit Vorliebe die Rückseite von Spielkarten. Wenn alles, was in englischen und außerenglischen Sammlungen seiner Hand zugeschrieben wird, wirklich von ihm herrührte, so wäre der Meister von geradezu erstaunlicher Fruchtbarkeit gewesen. Indessen ist gerade in diesem Teil von Holbeins Werk, wie Paul Ganz, der jüngste Biograph des Malers, zugibt, eine genaue Ausscheidung von Originalen und Wiederholungen um so weniger möglich, als noch nicht einmal ein vollständiges Verzeichnis aller der Miniaturen existiert, die man ihm zuschreibt. Das vorzügliche Brustbild des Mannes mit der Nelke, welches das Datum 1533 trägt (Taf. 1), galt lange als Selbstporträt, mit Unrecht, wenn man die authentischen Bildnisse mit ihm vergleicht, in welchen Holbein sich abgeschildert hat. Das der Wallace Collection (S. 9) gilt heute wohl unbestritten als das-

— 28 —

Abb. 23. Cosway, Lady Paget

jenige, welches den größten Anspruch auf Echtheit erheben
kann. Ihm kommt das am nächsten, welches sich im Besitz
des Duke of Buccleuch in Montagu House befindet und aus
der berühmten Sammlung von Horace Walpole in Strawberry
Hill stammt. Soweit in englischem Besitz Miniaturen Heinrich VIII. und seiner Königinnen anzutreffen sind, gelten sie
ohne weiteres als Arbeiten Holbeins und dabei sind, wie Horace
Walpole versichert, 1698 beim Brande des Schlosses White-
hall noch zahlreiche Werke dieser Art untergegangen. Wenn
die Bildnisse des Königs und seiner vierten Gattin (S. 10—11)
von Holbein herrühren, müssen sie wohl in den ersten Monaten des Jahres 1540 ausgeführt worden sein. Aus politischen Gründen wollte der Monarch nach dem Tode der Johanna Seymour sich mit einer Prinzessin aus einem prote-
stantischen deutschen Fürstenhaus vermählen und die Wahl

— 29 —

Abb. 24. Cosway, Priscilla und Georgiana Bertie

fiel auf Anna, die Tochter des Herzogs Johann III. von Jü-
lich-Cleve-Berg. Holbein soll durch ein stark geschmeicheltes
Porträt der damals 25 Jahre alten Dame zu der Wahl des Königs nicht unerheblich beigetragen haben. Die Hochzeit fand
am 6. Januar 1540 statt, im Juli desselben Jahres war der
königliche Blaubart bereits wieder geschieden, um einen Mo-
nat später Lady Catharina Howard zu ehelichen, die er zwei
Jahre darauf um einen Kopf verkürzen ließ. Den Maler ließ
Heinrich VIII. seine trügerische Kunst nicht entgelten, der
Kanzler Thomas Cromwell aber, der den König zu dieser Ehe
bewogen und stark gegen die Scheidung gewesen war, büßte
das Vergehen, seinem Herrn eine reizlose Frau verschafft zu
haben, auf dem Blutgerüst. Die verstoßene Königin lebte noch
bis 1557 auf einem abgelegenen englischen Schloß und starb
nur ein Jahr vor ihrer Stieftochter, der blutigen Maria. Die
Miniaturen Holbeins werden in England hoch geschätzt, ein
ihm zugeschriebenes Stück, die sogenannte Duchess of Nor-

Abb. 25. Cosway, Bildnis eines jungen Mannes

— 30 —

folk, wurde 1904 bei Christie in London versteigert und von Duveen brothers mit £ 2750 (Mk. 55000) bezahlt. Es gelangte wohl in die Sammlung Pierpont Morgans.

Nicht als Schüler, aber doch als unmittelbarer Nachfolger Holbeins kann man Nicholas Hilliard (1547—1619) und Isaak Oliver (1556—1617) betrachten, welche sich in der Technik ihrer Miniaturen streng an sein Vorbild hielten. Am Hofe der Königin Elisabeth und Jakob I. nahm Hilliard die Stellung ein, welche Holbein unter Heinrich VIII. innegehabt hatte. Alle Miniaturporträts der jungfräulichen Königin schreibt man ihm zu. Er ist in der Wiedergabe der Details der damals so reichen Kostüme interessanter, als in der Charakteristik

Abb. 26. Cosway, Zwei Unbekannte

der Köpfe, diese haben leicht etwas Schwächliches und Flaues. Das Bildnis Maria Stuarts (S. 12) mit dem Datum 1581 gilt nach Holmes für authentisch, zeigt also die Züge der unglücklichen Herrscherin, nachdem sie schon dreizehn Jahre in englischer Gefangenschaft geschmachtet hatte. Die Befreiungsversuche, welche Graf Northumberland, Graf Westmoreland und der Herzog von Norfolk unternahmen, endlich die Verschwörung Babingtons ängstigten ihre Nebenbuhlerin auf dem englischen Throne so, daß Maria sechs Jahre, nachdem dies Bildnis entstanden war, in Fotheringhay ihr Haupt am 18. Februar 1587 auf den Block legen mußte. Wenn es möglich oder wahrscheinlich ist, daß Hilliard die Königin nach dem Leben malte, so geht die Miniatur der schönen Gabrielle d'Estrées (S. 12) nach den Ausführungen von Williamson jedenfalls auf den Kupferstich von Thomas de Leu zurück. Als Heinrich IV.

— 31 —

die Dame seines Herzens während der französischen Bürger-
kriege auf dem Schlosse ihres Vaters kennen lernte, war sie
kaum zwanzig Jahr alt und flößte dem Monarchen eine solche

Abb. 27. Cosway, Unbekannte

Leidenschaft ein, daß er, um sie nur sehen zu können, die
größte Lebensgefahr nicht scheute. Zur Herzogin von Beau-
fort erhoben, lebte sie am Hofe, nicht nur schön, sondern klug
und bezaubernd liebenswürdig, so daß sie nach dem Zeugnisse
von Agrippa d'Aubigné fast keine Feinde besaß. Zu diesen
wenigen Feinden gehörte aber ein sehr mächtiger, der Herzog von Sully, und ihm schreibt man den frühen Tod der rei-
zenden Frau zu. Trotz des Widerspruchs, den er von allen
Seiten hörte, hatte Heinrich IV. beschlossen, Gabrielle zu heiraten und zur Königin zu machen, als sie wenige Tage vor-

— 32 —

Abb. 28. Cosway, Unbekannte

her am 10. April 1599 ein plötzlicher und schrecklicher Tod ereilte. Unmittelbar nach dem Genuß einer Orange wurde sie von furchtbaren Krämpfen befallen, die Körper und Gesicht so entsetzlich verzogen und entstellten, daß niemand ohne Schauder die Leiche sehen konnte. Blin de Sainmore, Poinsinet, Sauvigny haben das Schicksal der durch Liebe und Schönheit gleich berühmten Gabrielle in Epen und Tragödien besungen.

Isaac Oliver war ein Schüler Hilliards und des Italieners Federigo Zucchero, der seit 1574 in England weilte und sein Brot mit dem Malen von Miniaturen verdiente.

v. B., M. u. S. — 33 — 3

Das Familienbild (S. 13) zeigt ihn auf den gleichen Bahnen wie seinen englischen Lehrer. Der Schmuck und zumal die breiten Spitzenkragen sind bis in die geringsten Feinheiten des Musters mit minutiöser Treue wiedergegeben, während die Gesichtszüge und der Ausdruck der Dargestellten ein wenig flau geraten sind. Das Bildnis der Dame mit dem Spaniel neben sich (S. 14)

Abb. 29. Cosway, Gräfin Elisabeth Aldeburgh

galt lange für ein Porträt der Lady Arabella Stuart, einer Tochter des Earl of Lennox. Weder die Königin Elisabeth noch Jakob I. waren ihr wohlgesinnt, weil sie durch ihre Geburt dem Throne so nahestand, daß die Opposition sie mit und ohne ihren Willen dauernd in Komplotte verwickelte, die gegen beide Monarchen gerichtet waren. Sie war schön, begabt und heiratslustig, aber weder Elisabeth noch Jakob gestatteten ihr aus Eifersucht und Furcht eine standesgemäße Partie zu machen, sondern hielten sie stets in halber oder ganzer Gefangenschaft. 1610 gelang es ihr, sich heimlich mit William Seymour zu vermählen und mit ihm zu entfliehen. Er entkam nach Frankreich, sie aber wurde gefangen und in den Tower gesetzt, in dem sie 1615, vierzig Jahre alt, starb, ein bedauernswertes Opfer damaliger Staatsraison. Ihr Gatte starb als Herzog von Somerset erst 1660.

— 34 —

Der Sohn und Schüler Isaak Olivers, Peter Oliver (1601 bis 47), führt mitten in die Zeit van Dycks, der damals den Hof und die englische Aristokratie porträtierte. Die Anmut und Grazie, die der große Flame den Bildnissen seiner Damen und Herren mitzuteilen wußte, das Element einer vornehm nachlässigen Eleganz, das allem anhaftet, was er gemalt hat, zwang die Gesellschaft ebensogut in seinen Bann, wie die Künstler. Jeder wollte von van Dyck gemalt sein und jeder Maler wollte so malen wie er. Der Schönheitskultus, der schon bei van Dyck auf Kosten der Beseelung und der Charakteristik geht, wird bei Gottfried Kneller und Peter Lely zur Schablone, er stellt auch die Miniaturmaler unter seinen Einfluß. Peter Oliver hielt sich in seiner Art nahe an van Dyck, das von ihm ausgeführte Porträt der Lady Lucy Percy fand Walpole die voll-

Abb. 30. Craft, J. Reynolds

— 35 —

kommenste Miniatur, die es in der Welt gäbe und zahlte £100 dafür, eine für das achtzehnte Jahrhundert enorme Summe. Oliver hat van Dyck vielfach direkt kopiert, das Bild der Familie Digby (S. 15) ist eine genaue Kopie des großen Gemäldes, das sich im Besitz des Herzogs von Portland in Welbeck Abbey befindet. Auch das Bild, das Lady Venetia Digby, die, kaum 32 Jahre alt, 1633 starb, auf dem Totenbette darstellt, hat Oliver nach van Dyck wiederholt. Ebenso steht der Zeitgenosse Olivers, John Hoskins († 1664), wie es gar nicht anders sein kann, im Zeichen van Dycks. Das Bild der Königin Henriette Maria (S. 16) geht auf ein Original des Künstlers zurück. Die Königin, Gemahlin Karls I. und jüngste Tochter Heinrichs IV., ist hier noch in den Tagen ihres Glanzes dargestellt. Nachdem ihr Sohn den Thron wiedererhalten hatte, den der Vater durch eigene Schuld verloren, lebte sie in Somerset House in London, reiste aber oft und gern nach Paris, wo sie 1669 starb und in der Königsgruft von St. Denis beigesetzt wurde. Van Dyck und Hoskins haben ihr geschmeichelt. Als die Königin ihre Nichte, die Pfalzgräfin Sophie, spätere Kurfürstin von Hannover, besuchte, erwartete diese, verführt durch die Bilder, die sie kannte, in ihrer Tante eine

Abb. 31. Shelley, Mutter mit Kindern

— 36 —

Abb. 32. Shelley, Unbekannte Dame

wunderschöne Frau zu finden und war arg enttäuscht, daß
die Königin schief war, lange dünne Arme und vorstehende
Zähne hatte. John Hoskins hat sich auch selbst gemalt, einer
Zeitmode folgend im Hemd, das reich mit Besätzen und Zwi-
schensätzen von Spitzen garniert ist.

Auf die Hofmaler folgt in Samuel Cooper († 1672), dem
Neffen und Schüler von Hoskins, der Maler der Republik und
der puritanischen Gesellschaft, die sich in Aussehen, Sprache
und Betragen in einen so schneidenden Gegensatz zu der Hofgesellschaft des ersten Karl stellte. Samuel Cooper gilt den
Engländern als einer ihrer bedeutendsten Künstler, er ist ohne
Zweifel der erste englische Miniaturenmaler, der einen ganz
persönlichen Stil besitzt und wenn er sich auch unter dem
Einflusse van Dycks gebildet hat, seinen Werken eine Note
von Kraft und Energie mitteilt, die den großen Schöpfungen
seines Vorbildes oft genug fehlt. Er ging zur Aquarellmalerei
auf Karton über, die er breit und flüssig handhabte. Cooper
hat von Cromwell, Milton und anderen Größen der Zeit Bildnisse hinterlassen, die den strengen und herben Geist jener
Zeit atmen, das Bild des Lordprotektors (S. 17) fand von jeher die lebhafteste Bewunderung. Cromwell selbst soll geäußert haben, der Maler habe sich damit selbst übertroffen

— 37 —

und Horace Walpole pflegte zu sagen, wenn man Coopers Miniaturen vergrößere, würden sie den Bildern van Dycks gleich sein, das Cromwells aber würde van Dyck in Schatten stellen. In dem Bildchen der Lady Walter (S. 18) haben wir vielleicht Lucy Walter vor uns, eine Geliebte Karls II., die Mutter des Herzogs von Monmouth.

Der Bruder Samuels, Alexander Cooper, war ebenfalls

Abb. 33. Engleheart, Unbekannte

ein ausgezeichneter Miniaturmaler. Er hat fast ausschließlich im Ausland gearbeitet. So malte er im Haag 1632 die ganze Familie des Winterkönigs, zwölf kleine Bildchen in einem Medaillon. In den folgenden Jahrzehnten ging er nach Norden, arbeitete am Hofe der Königin Christine, des Königs Karl X. Gustav und in den fünfziger Jahren in Kopenhagen, wo er das ganze königliche Haus abkonterfeite.

Mit den Coopers war eine glänzende Epoche der englischen Miniaturkunst abgeschlossen, sie fanden keine unmittelbaren Nachfolger. Laurence Crosse († 1742) und Bernard

ENGLEHEART, GEORGE IV.

v. Boehn, Miniaturen u. S., Tafel 3

Lens (†1755) zeichneten sich weniger in der Porträtminiatur aus, als in den Kopien von Bildern des Rubens' und van Dycks, die sie in kleines Format brachten. Der einzige Künstler, der in diesem Zeitraum Ruf und Ansehen in der englischen Gesellschaft genoß, war Nathaniel Dixon, von dessen Lebens-

Abb. 34. Die Augen der Königin Luise und ihrer 4 ältesten Kinder. Geburtstagsgeschenk für Friedrich Wilhelm III. am 3. August 1801. Hohenzollern-Museum, Schloß Monbijou

umständen nichts Näheres bekannt ist. Das Bildchen der Lady Chesterfield (S. 19) stellt Elisabeth Savile vor, die Gattin von Philipp Stanhope, dritten Earl Chesterfield. Sie wurde 1694 Mutter von Philipp Dormer Stanhope, der als Lord Chesterfield die berühmten Briefe an seinen Sohn über Erziehung und Lebensklugheit schrieb und doch nicht verhindern konnte, daß dieser Sohn all der geistreichen Ratschläge ungeachtet ein Dummkopf blieb. Neben Dixon arbeitete der aus Deutschland gebürtige Christian Friedrich Zincke (1683—1767). Rührt das Bildchen der Herzogin von Buckingham und ihres Sohnes (S. 20) wirklich von ihm her, so begreift man allerdings die Beliebtheit nicht, deren er sich erfreute und die in Wirklichkeit sehr groß war, denn der Maler wurde so mit Aufträgen überhäuft, daß er den Preis eines Miniaturporträts von 20

— 39 —

auf 30 Guineen erhöhen mußte, weil er den Bestellungen nicht mehr gerecht werden konnte. In der zweiten Hälfte des siebzehnten Jahrhunderts wurden in England die Miniaturen in Emaille sehr beliebt, deren Kenntnis zuerst Petitot bei einem kurzen Aufenthalt in London verbreitet hatte. Eigentlich eingeführt wurden die Emaillen in England durch Charles Boit, der von französischen Eltern 1663 in Schweden geboren, 1683 nach London kam und hier lange Zeit als Juwelier und Emailleur tätig war. SeineTätigkeit als Emaillemaler fand solche Anerkennung, daß er für einzelne Porträts £ 500 erhielt, eine enorme

Abb. 35. Smart, Maria Cosway

Summe für die Zeit. Auf eine lange Zeit des Stillstandes und des Rückschritts beginnt mit Richard Cosway eine neue Glanzepoche der englischen Miniaturmalerei. 1740 geboren, stellte er 1760 zum ersten Male öffentlich aus und widmete sich seit 1761 so gut wie ausschließlich dem Miniaturporträt. Ein Bildnis der Mrs. Fitzherbert, der Geliebten und heimlich angetrauten Gemahlin des Prinzen von Wales, brachte ihn in Berührung mit dem Hof und lenkte die Aufmerksamkeit der vornehmen Gesellschaft auf ihn. Er wurde bald ihr Liebling, denn wie keiner seiner Vorgänger oder Zeitgenossen verstand Cosway die schmeichlerische Kunst der Schönmalerei. Er huldigte ihr sogar zu sehr, er kettete sich an sie wie an einen Fetisch, wie Dudley Heath sehr treffend sagt. Er stellte ein verführerisches Ideal auf, ein Gesicht von zarter Frische mit schwärmerisch oder melancholisch blickenden Augen, umwallt von einer Lockenfülle, wie sie natürlich auf keinem Kopf wach-

— 40 —

sen kann. So sehen die Roman-
ideale aus, die Lovelace und Cla-
rissa Harlowe, mit deren Schick-
salen die empfindsamen Seelen
so innig sympathisierten und
denen man so gern gleichen
wollte. Das Weichliche in Cosways Auffassung bezauberte um
so mehr, als der Maler die tech-
nische Seite seiner Kunst souve-
rän beherrschte und jedes seiner
Werke zu einem kleinen Kunstwerk von exquisitem Geschmack
stempelte. Er selbst war ein
Mensch, der sich nur in der großen Welt wohl fühlte, dessen

Abb. 36. Smart, Lord Rivers

Element die vornehme Gesellschaft war. In einem Hause in
Pall Mall, dem ehemaligen Palais Schomberg, richtete er sich
auf dem größten Fuße ein, als er dann nach Oxford Street
umzog, machte er sein neues Heim zu einem wahren Wunder
von Eleganz und Komfort. Er gab glänzende Feste und
Gesellschaften und empfing die beste Gesellschaft bei sich,
denn wenn er auch persönlich eitel und putzsüchtig war, so
daß er beständig die Zielscheibe guter und schlechter Witze
bildete, so besaß er doch außer seiner Kunst in seiner
Gattin Maria einen Magnet, der sein
Haus niemals leer werden ließ. Maria
Hadfield (S. 21) war als ganz junges
Mädchen mit Angelika Kauffmann
nach England gekommen, wo sie sehr
jung den schon berühmten Cosway
heiratete. Sie liebte Putz und Eleganz
ebenso wie ihr Gatte, aber wenn sie
sich phantastisch kleidete, so hatte
sie doch vor ihrem grundhäßlichen
Manne die Schönheit voraus. Außerdem war sie liebenswürdig und geistreich, musikalisch und malte mindestens ebensogut in Miniatur wie ihr
Gatte. Lange Jahre dauerte der Glanz

Abb. 37. Smart, Unbekannte
Dame

— 41 —   3a

Abb. 38. Smart, Bildnis

des Coswayschen Hauses. Schatten begannen heraufzuziehen, als der Maler seine Sympathien mit der französischen Revolution so wenig verhehlte, daß der Prinzregent ihm seine Gunst entzog. Die Frau erkrankte, das einzige Kind starb, ein Schlaganfall lähmte Cosways rechte Hand, die Verhältnisse gingen zurück, denn der große, verschwenderisch geführte Haushalt hatte die großen Einnahmen verschlungen. Haus und Einrichtung mußten verkauft werden und der Künstler, dem das Schicksal so lange gelächelt hatte, starb, während er im Begriffe war, in Edgeware Road ein kleines bescheidenes Heim aufzuschlagen. Nach seinem Tode ging Maria Cosway in ihre italienische Heimat zurück, wo sie in Lodi ein Kloster englischer Fräulein gründete und sich der Erziehung der weiblichen Jugend widmete. Sie starb erst in den dreißiger Jahren des neunzehnten Jahrhunderts, nachdem sie wenige Jahre vor ihrem Tode von ihrem Landesherrn Kaiser Franz I. von Österreich noch in den Freiherrnstand erhoben worden war.

Wenn das Werk Cosways durch die allen Bildern anhaftende Süße etwas Uniformes erhalten hat, so erklärt sich das auch durch die große Schnelligkeit, mit der er arbeiten mußte. Oft sollen ihm zwölf bis vierzehn verschiedene Personen an einem Tage gesessen sein, so daß er in einem Tempo zu schaffen hatte, das auf die Dauer auch die Qualität seiner Werke herabgedrückt hat. Zu den besten Werken gehört das Bildnis König Georg III. (Tafel 2), des Monarchen, dessen eigensinnige Starrheit England den Verlust der amerikanischen Kolonien kostete. Der Maler hat in den Zügen des Königs den gequälten Ausdruck nicht unterdrückt, der ein nicht normales Empfinden anzeigt. Georg III., der mit 22 Jahren den englischen Thron bestieg, so unwissend, daß er weder richtig Englisch noch Deutsch konnte, wurde nach wiederholten Anfällen von Trübsinn endlich unheilbar geisteskrank und starb nach langen Jahren erst 1820. Er hatte seine Vernunft nicht wieder er-

halten und war zuletzt auch noch erblindet. Das Bild der
Marquise von Hertford (S. 22) stellt Isabella Anna Ingram
Shepherd vor, die, mit Francis Seymour Marquess of Hert-
ford vermählt, im Jahre 1800 die Mutter des berühmten
Kunstsammlers gleichen Namens wurde. Thackeray hat ihn
in Vanity Fair nicht gerade sympathisch geschildert. Die
Wallace Collection geht in ihrem Ursprung auf ihn zurück.

Abb. 39. Unbekannt, Dose aus der 2. Hälfte des
18. Jahrhunderts

Lady Orde (S. 23) ist Margaret Stephens, die 1790 mit John
Orde, dem ersten Baronet dieses Namens vermählt, noch
im gleichen Jahre starb. Cosway gibt ihr die halbphanta-
stische Tracht, in der auch in der gleichen Zeit Angelika
Kauffmann eine Prinzessin von Kurland als Vestalin gemalt hat. Mrs. Stuart Wortley Mackenzie ist (S. 24) Margarete, Tochter von Sir David Cunningham Bart., die durch
ihren Gatten die Mutter von James erstem Lord Wharn-
cliffe wurde. Lady Harcourt (S. 25) war die Gattin des dritten Earls dieses Namens; die Gräfin Salisbury (S. 25) Maria
Amelia war die Tochter von Wills erstem Marquis von
Devonshire und heiratete 1773 James Earl und ersten Grafen von Salisbury. Die Unglückliche kam beim Brande ihres
Schlosses Hatfield House am 27. November 1835 in den Flam-
men um. Das Knabenbild des späteren Herzogs von Devonshire (S. 26) stellt William Spencer Cavendish, sechsten Her-

zog von Devonshire vor. Er wurde 1790 geboren und starb
1858 unvermählt, allen Nachstellungen töchterreicher Mütter zum Trotz. Gräfin Boigne, die ihn 1818 in London
kennen lernte, erzählt, wie boshaft er sich der heiratsfreu-
digen Töchter erwehrte. Er kam gerade vom Kontinent
zurück und sprach sich mit Entzücken darüber aus, wie
elegant und graziös die Französinnen Walzer tanzten. Der
Walzer war damals in England so verpönt, wie hundert
Jahre später der Tango, was aber tut man nicht für eine
gute Partie und noch dazu für einen Herzog! Beim nächsten großen Ball tanzten alle jungen Damen Walzer, so
hingebend, wie sie nur konnten, als der Herzog von Devonshire, nachdem er lange zugesehen, erklärte: Ein junges
Mädchen, das einen so unanständigen Tanz tanze, werde
er niemals heiraten. Das Bild der Lady Foster (S. 26) ist
das der Stiefmutter dieses Herzogs. Als Mädchen Lady
Elizabeth Hervey, Tochter des Earl of Bristol, heiratete sie
John Thomas Foster. Sie war auf das innigste befreundet
mit Georgiana, Herzogin von Devonshire und unternahm
mit dieser, als sie jung Witwe geworden war, weite Reisen auf dem Festland. Wenn sie gewollt hätte, so hätte
sie die Gattin des berühmten Geschichtsschreibers Gibbon

— 44 —

werden können, aber sie zog es vor, mit ihrer Freundin und deren Gatten in einem dreieckigen Verhältnis zu leben, das alle Teile auf das innigste befriedigte. Nach dem Ableben ihrer Freundin, das 1806 erfolgte, heiratete sie den

Abb. 41. Plimer, Lady Caroline Rushout

Herzog von Devonshire, dem sie schon so lange teuer gewesen war und den sie 1814 durch den Tod verlor. Gräfin Lulu Thürheim, eine Dame, der man nicht vorwerfen kann, daß sie sich in ihren Denkwürdigkeiten mit zu großer Milde oder Nachsicht über ihre Mitmenschen ausgesprochen hätte, sagt einmal von den Angehörigen der englischen Gesellschaft in Rom: „Ihre Fehler zeigten sich äußerlich, die guten Eigenschaften blieben durch die Bescheidenheit der Besitzer verborgen." Der Herzogin von Devonshire hat sie dagegen ein geradezu enthusiastisches Zeugnis ausgestellt,

— 45 —

indem sie schreibt: „Der Tod der Herzogin bedeutete einen unersetzlichen Verlust für Rom. Sie protegierte die Künste und die Altertumsforschungen mit Umsicht und Freigebigkeit, ihr Haus bildete den Sammelpunkt der Künstler und Fremden. Die Schriftsteller besangen dessen Pracht, die Armen segneten ihre hilfreiche Hand. Während ihres Lebens folgte sie immer den Eingebungen ihrer feuriger Seele, dies führte sie zu vielen Irrtümern, aber sie waren

Abb. 42. Plimer, Miß Guinneß
(spätere Herzogin von Argyll)

stets mit einer solchen Sanftmut des Charakters, mit einer derartigen Anteilnahme für die Schwächen und Kümmernisse der Mitwelt verbunden, daß niemand ein hartes Urtei zu fällen wagte." George Howard Earl und Graf von Carlisle (S. 27), geboren 1773, gestorben 1848, heiratete 180: Georgiana Dorothea Cavendish, Tochter des fünften Ilerzogs von Devonshire, gehört also mit in diese Familie Lady Paget (S. 29) hieß mit ihrem Mädchennamen Augusta Jane Fane und wurde 1786 als Tochter des Earl of Westmoreland geboren. Sie heiratete 1804 John Parker, ersten Earl Morley, von dem sie 14. Februar 1809 geschieden wurde, um sich noch am gleichen Tage mit Arthur Page zu verehelichen. Bis zum Tode der Königin Charlotte, die 1761 mit G org III. vermählt, erst 1818 starb, hatten die

— 46 —

Abb. 43. Plimer, Junge Unbekannte

Damen mit interessanter Vergangenheit einen schweren Stand in der Gesellschaft, da die Königin niemals eine geschiedene Frau empfing und die Tatsache, daß sie bei Hofe nicht vorgestellt werden konnten, schwer auf ihnen lastete. Die Schwestern Bertie (S. 30) hat Cosway wiederholt gemalt. Sie waren die Töchter von Peregrine, drittem Herzog von Ancaster. Lady Priscilla heiratete den ersten Lord Gwydyr und wurde 1779 durch den Tod ihres Bruders Robert Baroness Willoughby de Eresby „in her own right", ihre Schwester Lady Georgiana wurde durch ihre Vermählung marchioness of Cholmondeley. Die Zahl der Unbekannten im Werke Cosways ist außerordentlich groß. Wir müssen aus Mangel an Nachrichten auch Lady Elisabeth Aldebourgh (S. 34) unter sie rechnen. Sie sind um so schwerer zu identifizieren, als sie in ihrer etwas gleichmäßig ausgefallenen Schönheit eine fatale Ähnlichkeit miteinander haben. Cosway ist außerordentlich viel gefälscht worden, er pflegte seine Werke nur auf der Rückseite zu bezeichnen, Miniaturen also, die seinen Namen vorn tragen, dürfen mit Mißtrauen betrachtet werden.

Der Stil Cosways war viel zu „hübsch", als daß nicht alle seine malenden Zeitgenossen ihn hätten nacheifern sollen. Jeder suchte die Grazie und Anmut in der Haltung, die Weichheit der Formgebung, die geschickt und zart abgestufte Tönung in ebenso

Abb. 44. Plimer, Mrs. T. Somer Cocks

vollendeter Weise zu erreichen, wie der gefeierte Modemaler, das macht bei nicht bezeichneten Miniaturen die sichere Zuschreibung oft zur Unmöglichkeit. W. H. Craft war von Hause aus Porzellanmaler an der Manufaktur in Bow. Er hat in einer ausgezeichneten Emaille (S. 35), die sich im Universitätsmuseum in Oxford befindet, Sir Joshua Reynolds gemalt. Das Bild dürfte nicht nach dem Leben, sondern wahrscheinlich nach dem Selbstporträt des großen

Abb. 45. Wilhelm IV. von Großbritannien

Künstlers geschaffen sein, welches er im Jahre 1786 ausgeführt und der Akademie hinterlassen hat. Er war der erste Präsident dieses 1768 gestifteten Instituts und der Maler, der ein so glänzendes und noch bei Lebzeiten so mit Ruhm gekröntes Dasein geführt hat, wie wohl keiner vor ihm oder nach ihm. Ein großer Künstler, ein schöner Mann, feingebildet, sind ihm Titel, Ehren und Einkommen förmlich zugeströmt. Alle, die während seiner Lebzeiten (1723—1792) in England Bedeutung und Ansehen besaßen, hat er porträtiert und einen Einfluß ausgeübt, der durch die Hunderte der nach seinen Gemälden angefertigten Stiche weit über die Grenzen Englands hinausreichte. Sein

— 48 —

BONE, HERZOGIN VON PORTSMOUTH

v. Bochn, Miniaturen u. S., Tafel 4

Name bezeichnet nicht nur eine bestimmte Phase der englischen Kunst, er ist auch für den Stil und die Mode der Zeit typisch geworden. Wenn man etwas an ihm tadelte, so war es die geringe Haltbarkeit seiner Bilder. Er liebte im Grundieren, im Mischen der Farben usw. zu experimentieren und mit so ungünstigem Erfolg, daß die Gemälde

Abb. 46. Bone, Herzogin von Devonshire

schon nach allerkürzester Zeit nachzudunkeln begannen und unansehnlich wurden. Die Käufer waren damit begreiflicherweise sehr unzufrieden, und einer derselben machte den Vorschlag, das Bild in Raten zu bezahlen, die er aber nur so lange entrichten wolle, als das Gemälde sich halten werde.

Samuel Shelley, auch ein Zeitgenosse und Nachahmer Cosways, hat sich besonders in Miniaturen ausgezeichnet, welche von einer Modeströmung begünstigt, Mütter mit Kindern darstellen (S. 36—37). Diese Verbindung ist durchaus

Abb. 47. Unbekannt
Englischer Offizier

nicht gewöhnlich, Bilder, wie das der Herzogin von Buckingham und ihres Sohnes (S. 20) sind Seltenheiten, in ihrer Auffassung auch noch weit entfernt von jenen der späteren Zeit. Hier posieren beide Personen nebeneinander, in einer nichts weniger als geschickten Verbindung, in den Bildern aus der zweiten Hälfte des Jahrhunderts sind die Mütter mit ihren Kindern in ein geradezu überquellendes Familiengefühl getaucht, eines geht im anderen völlig auf. Das war die große Mode, seit Rousseau die Hyperkultur der Gesellschaft seiner Zeit zur Natur zurückdrängen wollte und die englischen Familienromane, vor allem Richardson, diesen Geschmack unterstützten. Auf einmal wurde es guter Ton, seine Kinder selbst zu nähren, man konnte im Salon Mütter sehen, die vom Spieltisch aufstanden, um ihre Mutterpflichten zu erfüllen und den kleinen Schreihals coram publico zu stillen. Das älteste zärtlichere Bildchen dieses Genres ist wohl die Miniatur von Bernard Lens, Lady Harley mit Tochter aus dem Jahre 1717, am Ende des Jahrhunderts haben Cosway, Plimer, Shelley u. a. sehr zahlreiche Porträts dieser Art gemacht.

George Engleheart rivalisierte mit Cosway darin, die schönen Köpfchen der mit gewaltigen Perücken und noch gewaltigeren Hüten (S. 38) geschmückten Ladies in ihrer ganzen Süße wiederzugeben. Das Bild Georg IV. (S. 3) zeigt ihn in jugendlichem Alter als Prinz von Wales, in der Zeit, da er noch in den Fesseln von Mrs. Fitzherbert schmachtete, mit der er sich 1785 heimlich vermählt hatte. Die Mitwelt nannte den Prinzen den ersten Gentleman Europas, die Nachwelt weiß nichts Rühmliches über ihn zu sagen, sein wüster Lebenswandel und das skandalöse Betragen gegen seine unglückliche Gattin Caroline von Braunschweig haben Flecken auf sein Bild geworfen, die nicht mehr zu entfernen sind. 49 Jahre alt wurde er 1811 Regent für seinen geisteskranken Vater, von 1820—1830 regierte er als Georg IV. Engleheart erfand ein neues

Genre, das alsbald latest fashion wurde. Er malte nämlich das Auge von Mrs. Fitzherbert für den Prinzen von Wales, eine Affektation, die viel zu artig war, um nicht sofort nachgeahmt zu werden. Das Augenmalen für Armbänder und Medaillons kam sehr in Mode, Jahrzehnte später fristete die Malerin Caroline Bardua in den harten Zeiten, die in Deutschland den Freiheitskriegen folgten, damit ihr Leben. Unter den persönlichen Andenken aus dem Nachlaß der Königin Louise findet sich solch ein kleines Bildchen mit den Augen ihrer Angehörigen (S. 39).

John Smart gehört zum Kreise Cosways, dessen anmutige Gattin er im Jahre 1784 gemalt hat (S. 40). Sie ist häufig gemalt worden, die schöne, meist ein wenig phantastisch gekleidete Frau und ebenso gern von den Kupferstechern der Zeit auf der Platte verewigt worden. Lord Rivers (S. 41) ist Horace Beckford, der dritte Lord seines Namens. Andrew Plimer, geboren 1764, ist ein Schüler Cosways, wie sein Bruder Nathaniel, beide waren ihrer Zeit beliebte Miniaturmaler. Das Hauptwerk Andrews ist das Bildchen der drei Schwestern Rushout (S. 41) allgemein wie die drei schönen Schwestern selbst, nur die drei Grazien genannt. Sie waren die Töchter von John Rushout, der 1797 der erste Lord Northwick wurde. Die Hon. Harriet Rushout heiratete 1808 Sir Charles Cockerell und starb 1851, ihre Schwester, die Hon. Anne, blieb unvermählt. Sie hatte das Unglück, daß ihr Bräutigam drei Tage vor der Hochzeit plötzlich starb, sie selbst starb 1849. Die dritte Schwester Elizabeth, welche für die schönste von ihnen galt, war zweimal vermählt, in erster Ehe mit Mr. Sydney Bowles, in zweiter mit Mr. John Wallis Greave. Plimer hat auch eine Verwandte, Lady Caro-

Abb. 13. Mansion, Damenbildnis

- 51 -   4*

line Rushout (S. 45), gemalt, ein Bildchen, das er 1803 in der Royal Academy ausstellte und große Anerkennung dadurch erntete. Die Herzogin von Argyll (S. 46) ist eine der berühmt schönen Schwestern Gunning, die als Töchter eines ganz armen Landedelmannes zur Season nach London kamen, allen Männern die Köpfe verdrehten und glänzende Partien machten. Elizabeth heiratete den Herzog von Hamilton und, Witwe geworden, in zweiter Ehe den Herzog von Argyll, den fünften Träger dieses Titels. Sie starb 1790. Mrs. Thomas Somer Cocks (S. 47) gehört zu den Unbekannten, sie ließ keine andere Erinnerung ihres Lebens zurück, als ihr eigenes süßes Bild.

Von Cosway oder einem seiner Schüler scheint die hübsche Miniatur herzurühren, die den Herzog von Clarence (S. 48) darstellt. Ein Sohn König Georg III. und 1765 geboren, ist er der Held des abenteuerlichen Liebesromanes, den Caroline von Linsingen erlebte. In Pyrmont vermählte sich der englische Prinz 1790 mit dem deutschen Edelfräulein in heimlicher Ehe, verließ die junge und sehr schwärmerisch veranlagte Frau aber bald, um nach England zurückzukehren. Caroline fiel in eine schwere Krankheit, die anscheinend mit ihrem Tode endete. Sie sollte schon begraben werden und nur ein junger Arzt, Dr. Meinecke, rettete sie, indem er sich dem Begräbnis widersetzte. Sie erwachte wirklich vom Scheintod, der ihre Sinne umfangen hatte und heiratete ihren Retter, mit dem sie dann noch lange Jahre zusammenlebte. Der Herzog von Clarence tröstete sich in den Armen von Mrs. Jordans, die ihn nach und nach mit zehn Kindern beschenkte. Erst 1818 nahm er die Prinzessin Adelheid von Sachsen-Meiningen zur Frau und sukzedierte seinem Bruder Georg IV. 1830 als Wilhelm IV. auf dem Throne Großbritanniens. Ihm folgte 1837 Königin Viktoria.

Ein Zeitgenosse Cosways war Henry Bone, geboren in Truro 1755, gestorben in London 1834. Er war Hofmaler Georg III. und Georg IV. und ein Künstler, der als Emailleur großen Ruf genoß. Er liebte es, nach alten Porträts zu arbeiten, so entstand das Bild der Herzogin von Portsmouth (Tafel 4). Louise Renée de Keroualle, aus der Bretagne gebürtig, kam als Hofdame in Begleitung der

Herzogin Henriette von Orleans an den Hof Karl II. von England, dessen Schwester die Herzogin war. Sie wurde Hofdame der Königin Catharina von Braganza und Maitresse des Königs, der sie 1673 zur Herzogin von Portsmouth erhob, ihr Sohn war Charles Lennox, Herzog von

Abb. 49. De Largillière, Nicolas Boileau-Despreaux

Richmond. Sie war von den zahlreichen Geliebten dieses Monarchen wohl die im Volk am meisten gehaßte, einmal wurde ihrem Einfluß zugeschrieben, daß die englische Politik völlig ins Schlepptau der französischen geriet, dann aber war sie auch ungeheuer verschwenderisch und vergeudete mit vollen Händen. Als Karl II. im Sterben lag, sorgte sie dafür, daß der König im Glauben der katholischen Kirche starb. Nach seinem Tode zog sie sich nach Paris zurück, wo sie erst im Jahre 1734 gestorben ist. Eine Folge ähnlicher Emaillen Bones wie diese, 85 Kopien nach

— 53 —

Bildnissen berühmter Herren und Damen vom Hofe der Königin Elisabeth kamen 1856 in London zur Versteigerung und erzielten einen Preis von £ 5000 (mehr als 100000 M.). Auch in Miniaturen war Bone ausgezeichnet. Die Herzogin von Devonshire (S. 49) ist Georgiana, Tochter des Earl Spencer, die 1757 geboren, sich 1774 mit dem Herzog vermählte. Sie war die intimste Freundin von Lady Elizabeth Foster, der Geliebten und zweiten Frau ihres Mannes, und tröstete sich über die eheliche Untreue in den Armen von Lord Grey. Sie soll eine der reizendsten Frauen ihrer Zeit gewesen sein und stand lange Jahre an der Spitze der Londoner Gesellschaft. Sie starb 1806.

Im neunzehnten Jahrhundert sind es drei Schotten, welche die große Tradition der englischen Miniaturmalerei fortsetzen: Andrew Robertson, Roß und Thorburn. Robertson, der 1777 in Aberdeen geboren war, kam 1801 nach London, um sich an der Royal Academy zu vervollkommnen, er konnte bald seine Preise von 4 und 5 £ für die Miniatur auf 11 £ heraufsetzen und starb 1845 als außerordentlich geschätzter Künstler. Thorburn erlebte das Aufkommen und die Verbreitung der Photographie, die alle künstlerischen Verfahren zurückdrängte, wenn sie ihnen nicht, wie der Lithographie, völlig den Garaus machte.

Abb. 50. Boucher, Venus und Kupido

Die französische Schule.

Die Geschichte der französischen Miniaturmalerei beginnt, wie schon oben gezeigt wurde, mit Jean Clouet, dem im Hofdienst sein Sohn François Clouet, genannt Janet, folgte. Er war der Maler der letzten Valois und hat die ganze Gesellschaft porträtiert, die sich um Catharina von Medici, ihren Mann und ihre Söhne gruppiert. Ein Brustbild König Franz I. im Louvre und ein anderes Porträt dieses Königs zu Pferde, das sich in den Uffizien in Florenz befindet, sind die besten Stücke des älteren Clouet, dessen Werke nicht häufig sind, während der Sohn Clouet zahlreiche große Bilder, Miniaturen und Zeichnungen hinterlassen hat, die ihrer energischen Faktur wegen häufig Holbein zugeschrieben worden sind. Von der französischen Miniatur der unmittelbaren Folgezeit, ja fast des ganzen siebzehnten Jahrhunderts, ist so wenig zu sagen, daß die französischen Autoren, welche die Geschichte dieses Zweiges der Kleinkunst geschrieben haben, diesen Zeitraum mit Stillschweigen übergehen und ihre Darstellung am liebsten,

— 55 —

wie es z. B. Henri Bouchot tut, erst um die Mitte des achtzehnten Jahrhunderts beginnen. Es wäre in der Tat von gar keinem bedeutenden Künstler in diesem Fache zu berichten, wenn nicht Jean Petitot, ein französischer Schweizer, die Lücke ausfüllte. 1607 in Genf geboren, bildete er sich in Paris und dann in den dreißiger Jahren in London zum Emailleur aus. Er schulte seinen Stil an den Werken van Dycks, den er häufig kopierte, und genoß am Hofe Karl I. große Gunst. Beim Sturze der Monarchie

Abb. 51. Boucher, Mythologische Szene

ging er nach Paris, wo er sich bei Hofe der gleichen Bevorzugung zu erfreuen hatte, wie in England. Er hat in seinen Emaillen die Werke der großen Porträtisten seiner Zeit, Mignard, Philippe de Champaigne, Nanteuil u. a. kopiert. Sein Meisterwerk ist ein Miniaturporträt Mazarins, sein berühmtestes eine Goldbüchse im Besitz von Baron Alfred Rothschild, die 14 Emailleporträts der berühmtesten Schönheiten des Hofes von Versailles zeigt. Beim Widerruf des Edikts von Nantes wurde er als Protestant eingekerkert und war glücklich genug, in die Schweiz zu entkommen, wo er hochbetagt 1691 in Vevey gestorben ist. Sein Sohn Jean Louis war ein Schüler von Samuel Cooper

-- 56 --

und als Emailleur fast ebenso geschätzt, wie sein Vater, den er allerdings nicht erreicht. Die Miniaturemaillen waren am Hofe des Sonnenkönigs überhaupt sehr beliebt, in ihnen hat sich auch der Schwede Friedrich Bruckmann ausgezeichnet, dessen Emailleminiaturen im letzten Jahrzehnt des Jahrhunderts mit 60 Frcs. das Stück bezahlt wurden.

Die großen französischen Porträtisten dieser Epoche, Largillière (1656—1746), Massé (1687—1767) u. a. haben wohl auch in kleinem Format gearbeitet, ohne daß man sie deshalb zu den eigentlichen Miniaturisten rechnen dürfte. Eine Largillière zugeschriebene Miniatur aus der Sammlung Pierpont Morgans stellt Nicolas Boileau dar (S. 53), den berühmten Verfasser des komischen Heldengedichtes le Lutrin (1636—1711). Er war eine so offene und ehrliche Natur, daß er einmal Ludwig XIV., der sich über das niedrige Niveau des Repertoires der französischen Theater beschwerte, in Gegenwart der Marquise von Maintenon die Antwort gab, das sei die Schuld der miserablen Stücke von Scarron, die das Publikum so gerne sähe. Scarron aber war der erste Gatte der Marquise, die damals schon lange die heimliche Gemahlin des Sonnenkönigs war, also eine Antwort, die an Offenheit nichts zu wünchen übrig ließ. Auch die Rosalba Carriera, die als Pastellmalerin einmal

— 57 —

Weltruf genoß, hat bei ihrem Pariser Besuche Miniaturen gemalt. so porträtierte sie Ludwig XV. als Kind, den großen Finanzmann John Law auf der Höhe seiner Macht und seine kleine Tochter, die damals mit ihren 17 Millionen Mitgift als die reichste Erbin Frankreichs galt. Kurze Zeit darauf und die Millionen des Papas zerstoben in der Luft.

François Boucher (1703—1770), der Hauptmeister der Zeit Ludwig XV., hat für die üppige Lebenslust des Ro-

Abb. 53. Cazaubon, nach Nattier, Louise Henriette von Bourbon-Conti, Herzogin von Orléans

koko die künstlerische Formel gefunden, und wie in seinen großen Kompositionen auch in Fresken und Zimmerdekorationen den Zeitgeschmack zum Ausdruck gebracht. Seine lüstern koketten Nymphen und Göttinnen (S. 55), schmachtenden Schäferpaare und ähnlich mythologisch maskierte Zweideutigkeiten eroberten sich im Kunstgewerbe einen breiten Raum, daß er sie selbst in Miniatur gemalt habe. wird man billig bezweifeln dürfen und in den Baudouin und anderen Kleinmeistern die ausführende Hand suchen dürfen. Die französischen Miniaturisten dieser Zeit waren in der Routine erstarrt, ein Beispiel für ihre Art bietet das Bild der Herzogin von Orléans von Cazaubon (s. 58). Es stellt Louise Henriette von Bourbon Conti als Hebe vor und zwar nach einem Gemälde von Nattier. Die

— 58 —

Prinzessin, 1726 geboren, vermählte sich 1743 und starb schon 1759. Der Künstler ist ein damals in dem Dienste der Menus-Plaisirs des Hofes vielbeschäftigter Maler, er porträtierte Ludwig XV., Marie Lesczynska, die königlichen Prinzessinnen und erhielt für jede dieser Miniaturen 300 Livres.

Zwei Fremde haben damals dem stockenden Leben der französischen Miniaturkunst frische Impulse mitgeteilt und den hohen Aufschwung dieser Kunstübung veranlaßt. Der eine von ihnen war Jean Etienne Liotard (1702—1789), ein Genfer Kind, der als Maler und Geschäftsmann seinesgleichen suchte. Er hatte weite Reisen, auch in der Türkei, unternommen und wußte, als er nach Westeuropa zurückkehrte, wie man das Publikum zu nehmen hat. Er ließ sich im Zeitalter des Rokoko, wo selbst die Herren sich puderten und Rot auflegten, einen langen Bart wachsen und wenn er schon durch diese geradezu phänomenale Kühnheit das größte Aufsehen erregte, so unterstützte er die Wunderlichkeit seiner Erscheinung durch orientalische Kleidung und die brüsken Manieren, mit denen er z. B. in Paris der verwöhnten Hofgesellschaft gegenübertrat. In Wien wurde er von Maria Theresia außerordentlich begünstigt und kaiserlich beschenkt. In Paris machte er bei seinem ersten Auftreten 1749 geradezu Furore. Der Herzog von Luynes erzählt in seinen Erinnerungen, wie sehr Ludwig XV. den Künstler schätzte und seine Werke bewunderte. Die Leserin (S.59)

Abb. 54. Liotard. Die Leserin

— 59 —

ist ein Beispiel für die anmutige, ganz zwanglose Art, in der Liotard es verstand, seinen Bildnissen einen genreartigen Charakter zu geben. Die reizende Leserin ist Mlle. Lavergne, eine Nichte des Malers, die er 1752 por-

trätierte. Das berühmteste und bekannteste Werk dieser Art ist die „la belle chocolatière" genannte Kammerzofe in der Dresdner Galerie.

Der zweite Ausländer, den die Franzosen als den eigentlichen Erneuerer ihrer Miniaturmalerei betrachten, ist ein Schwede, Peter Adolph Hall (1736—1793). Er hatte nach dem Willen seines Vaters in Upsala und Göttingen Medizin studiert, als er sich entschloß, den Doktor an den Nagel zu hängen und sich der Kunst zu widmen. Er kam 1766 nach Frankreich und wurde schon 1769 Hofmaler. Schön, musikalisch, eleganter Tänzer, fanden seine Person wie seine Malerei gleichen Beifall. Er verheiratete sich 1771 mit Adelaide Bobin, die er mit Tochter und Sohn in einem

— 60 —

scharmanten Bildchen (S. 61) porträtiert hat. Er war sehr gesucht und verdiente 20000 bis 25000 Fr. im Jahr, die seine verschwenderische Gattin stets auszugeben wußte.

Abb. 57. Unbekannt, Madame de Pompadour

Als die Revolution ausbrach und mit der Emigration das Genußleben der Gesellschaft aufhörte, verließ Hall, ohne seine Familie mitzunehmen, 1791 Frankreich. Er ist krank, verlassen und einsam 1793 in Lüttich gestorben. In seiner Kunst ist der schwedische Meister ganz Franzose, von

Abb. 58. Hall, Maria Antoinette

— 62 —

raffiniert vollendetem Geschmack. Er ist unübertroffen in der Art, wie er dem Inkarnat Wärme und Frische, dem Auge den feuchten Schimmer des Lebens zu geben weiß; die lockere Fülle des Haares mit dem leichten Staub des Puders darüber gelingt ihm ebenso, wie die Wiedergabe

Abb. 59. Hall, Junges Mädchen

der Stoffe, schillernder Seiden, durchscheinender Mouseline. bunter Bänder und künstlicher Blumen. Das Bildchen der Marquise von Pompadour in Brillantenfassung (S. 60), aus der Sammlung Goncourt in den Besitz Pierpont Morgans übergegangen, muß in den ersten Jahren von des Künstlers Aufenthalt in Paris entstanden sein, denn die vielberufene Maitresse Ludwig XV. starb, 42 Jahre alt, am 15. April 1764. Heute, wo man vom achtzehnten Jahrhundert mit Vorliebe als dem „galanten" Zeitalter spricht, als sei dieses Zeitalter nicht durch ganz andere Züge charak-

— 63 —

terisiert, als durch die Sittenlosigkeit einer kleinen Ober-
schicht, ist die Pompadour im schleimigen Stil des Reporter-
deutsch als „große Amoureuse" zu Ehren gekommen. Wer
die Zeit kennt, weiß am besten, wie falsch dieses Bild ist.
Jeanne Antoinette Poisson, mit Herrn Lenormand d'Etioles

Abb. 60. Hall, Unbekannte Dame

verheiratet, war nur von dem Ehrgeiz verzehrt, an den
Hof und in die Hofgesellschaft zu gelangen, von Liebe war
bei ihr gar nicht die Rede. Als sie dieses Ziel erreicht
hatte und 1745 Marquise von Pompadour und Maitresse en
titre des üblen königlichen Lüstlings geworden war, begann ihr Martyrium. Sie hatte in den zwei Jahrzehnten,
die sie in Versailles weilte, jeden Tag und jede Stunde
von neuem um ihre Stellung zu kämpfen. Neider die Menge,
Freunde nur aus Eigennutz, war die Zuneigung des Königs
ihr einziger Halt. Wäre diese Neigung nicht nach kurzer

— 64 —

Zeit durch ein fatales Leiden der Dame der Gleichgültigkeit des Monarchen gewichen, wer weiß, ob sie sich so lange hätte behaupten können? So duldete sie der König, weil er an sie gewöhnt war, und sie hatte sich Tag für Tag den Kopf darüber zu zerbrechen, wie sie den Mann

Abb. 61. Hall, Die Schwestern Gunning

zerstreuen sollte, den nichts unterhielt, als nur der gröbste Sinnengenuß. Das Bild der Pompadour fällt in die Anfänge des Malers, das der Königin Marie Antoinette in die Blütezeit des Künstlers (S. 62). Die Königin besaß durch ihre Mutter, die letzte Habsburgerin, die unschönen Züge dieser Familie: Eine große Nase, wulstige Lippen und ein plumpes Kinn, ein Hofmaler aber kennt von Berufs wegen keine häßlichen Prinzessinnen, und so ist die Monarchin, die von allen vielleicht nur Joseph Boze aufrichtig zu malen wagte, unter dem Pinsel Halls zur anmutigen Schönheit geworden. Marie Antoinette konnte sich gar nicht oft ge-

Abb. 62. Unbekannt, Bildnis

nug malen lassen, denn die Kaiserin Maria Theresia plagte sie beständig um neue Bilder und schrieb kaum einen Brief, ohne nicht um solche zu bitten. Allerdings verfehlte sie nicht, ihre Tochter abzukanzeln, wenn der allzu modische Putz derselben ihr mißfiel, dann verlangt sie ausdrücklich Bilder in königlichem Putz, keine Porträts in Negligé oder in Männerkleidern! Die Kaiserin, in der Zeit aufgewachsen, als Schnürleib und Reifrock herrschten, beurteilte den Umschwung der Mode zu der zwangloseren Kleidung, wie sie z. B. die von Hall gemalten Unbekannten (S. 64) tragen, mit großer Strenge und hat den Sieg der neuen Mode ja auch nicht mehr zu erleben brauchen. Die Miniatur der Schwestern Gunning (S. 65) zeigt diese Mode schon in der idealisierten Form, wie sie so ätherischen Wesen ziemt. Die Identität der schönen Schwestern ist nicht sicher festzustellen, entweder sind es Elisabeth und Maria, von denen die erste Herzogin von Hamilton, später Herzogin von Argyll wurde, die andere den Grafen von Coventry heiratete, oder es sind die Töchter von Sir Robert Gunning, Bart., der englischer Gesandter in Berlin und dann in Petersburg war. Charlotte Margarete Gunning heiratete 1790 den Oberst Stephen Digby und starb 1794, Barbara Evelyn Isabella vermählte sich 1795 mit Alexander Ross of Rossie. In dem mit Beiwerk überladenen Kleinporträt einer Malerin, deren Namen nicht festzustellen ist (Tafel 5), erscheint

Abb. 63. Hall, Der Kuß

— 66 —

HALL, DIE MALERIN

HALL, PRINZESSIN LOUISE VON PREUSSEN

v. Boehn, Miniaturen u. S., Tafel 6

schon die Harfe, die damals im Salon auftauchte, um ein ganzes
Menschenalter hindurch das Lieblingsinstrument der eleganten Welt zu bleiben. In dem kleinen Genrebildchen: Der Kuß
(S. 66) zeigt Hall, daß er auch pikante Themen beherrscht.
Fast zu seinen letzten Werken gehört das Bildnis der Prinzessin Louise von Preußen (Tafel 6), die Hall 1791 in
Aachen malte. Es handelt sich um die Tochter des Prinzen
Ferdinand, eines Bruders Friedrich des Großen, die 1770 geboren, 1796 den Fürsten Anton Radziwill heiratete. Sie war klug
und begabt, aber nicht schön, zu stark und hochschultrig.

Sie hat außerordentlich fesselnde Memoiren hinterlassen, in denen viel Interessantes über den preußischen Hof und den Prinzen Louis Ferdinand, den Lieblingsbruder der Prinzessin, zu finden ist.

Abb. 64. Degault, Schäferpaar

Sie wurde die Mutter der Prinzessin Elisa Radziwill, die der nachmalige Kaiser Wilhelm I. so innig liebte, ohne sie heiraten zu dürfen, und starb nach langer glücklicher Ehe 1836 in Berlin.

Mit Hall bricht für die französische Miniaturkunst das
goldene Zeitalter an. Dadurch, daß die Miniatur ein stark
verlangter Luxusartikel der Gesellschaft ist, werden bedeutende Künstler veranlaßt, sich ihr ganz zu widmen,
ebensogut wie den Historienmalern erschließt sich auch
den Miniaturisten die Akademie. Das war nicht nur eine
Ehre, sondern eine fast unerläßliche Vorbedingung, wollte
ein junger Künstler beim Publikum bekannt werden. Ein
Maler, der nicht der Akademie angehörte, hatte keine andere Möglichkeit, seine Werke auszustellen, als bei den sogenannten Ausstellungen der Jugend, die an gewissen Festtagen auf der Place Dauphine unter freiem Himmel stattfanden. Um diesem Übelstande abzuhelfen, gründeten einige
Nichtakademiker das, was wir heute eine Sezession nennen
würden, die Akademie de St. Luc, die von 1751—1776 Gemälde

Abb. 65. Heinsius, Bacchantin, die Statue des Pan bekränzend

und Miniaturen von Nichtakademikern zur Ausstellung brachte.
1776 erreichte die Eifersucht der Akademie, daß das Kon-
kurrenzinstitut geschlossen wurde. Die Exposition du Co-
lisée, die von den Gemaßregelten als Ersatz geschaffen
wurde, erlebte nur eine Saison, dann wären die nicht mit
dem amtlichen Stempel versehenen Künstler wieder ohne
Ausstellung gewesen, hätte nicht ein gewisser La Blan-
cherie 1779 den Salon de la Correspondance gegründet,
in dem jeder Maler ausstellen durfte, der einen Mitglieds-
beitrag von 2 Louisdor entrichtete. In ganz moderner Weise
gründete sich dieser Salon von Sezessionisten eine Zeit-
schrift, in der die ausgestellten Kunstwerke besprochen

— 68 —

CHASSELAT, JUNGE FRAU MIT HUND

wurden, die Nouvelles de la République des Lettres. Dieses Unternehmen bestand bis 1787, dann brach es finanziell zusammen. 1791 tat sich in der Rue Cléry ein Salon des Artistes libres auf und 1793 endlich wurde der offizielle Salon allgemein freigegeben und das beschränkende Privileg der Akademie aufgehoben. Zu den Zeitgenossen Halls gehören Jean Baptist Huet (1740—1810), ein Schüler von Leprince, dessen Schäferszene ebenso wie das Schäferpaar Degaults (S. 67) etwas von Rousseaus Ideen atmet. Gault oder Degault de

Abb. 66. Unbekannt, Bildnis

St. Germain (1754—1842) soll der Erfinder der Imitation von Kameen in Miniatur sein. Der Deutsche Johann Ernst Heinsius aus Weimar war in Paris Hofmaler der Töchter Ludwig XV. und malte mit Vorliebe antik-mythologische Szenen (S. 68) im Modegeschmack der Zeit, Pierre Chasselat (1753—1814) schuf anmutige Bildnisse mit leicht erotischem Beigeschmack

Abb. 67. Fragonard
Schauspieler Préville

wie das einer jungen Schauspielerin (Tafel 7). Jean Honoré Fragonard (1732—1806), ein Schüler Bouchers, vielleicht noch mehr Rokoko als dieser, hat auch seinen Miniaturen jene prickelnde Note frivoler Lebenslust mitgeteilt, die all seinen Produktionen anhaftet. Das Bildchen des Schauspielers Préville (S. 69) stellt einen der beliebtesten Komiker der damaligen französischen Bühne dar. Pierre Louis Dubus, genannt Préville,

— 69 —

Abb. 68. Lanfransen, Graf und Gräfin v. Segonzac

debütierte 1753, 22 Jahre alt, an der Comédie française und
wurde alsbald Liebling des Publikums und der Dichter. Er
zog sich 1786 von der Bühne zurück, kehrte aber, als das
Theater 1791 in finanzielle Bedrängnis geriet, auf Wunsch der
Sozietäre für kurze Zeit auf die Bretter zurück. 1795 verlor er,
während er spielte, ganz plötzlich den Verstand und starb
in geistiger Umnachtung 1799. Nicolaus Lanfransen (1737
bis 1807) ist wie Hall ein in Paris heimisch gewordener
Schwede. Graf Segonzac, den er im Duo mit seiner Gattin
darstellt (S. 70), ist Marc Antoine de Bardon Graf Segonzac,
1746 geboren und bei Ausbruch der Revolution emigriert.
Er trat in die Condé'sche Armee und wurde 1794 von einem
schwerverwundeten Soldaten der Republik, dem er helfen
wollte, erschossen. Antoine Vestier (1740—1810) zeichnet
sich durch die zartgrauen Töne seiner Palette aus, die
immer etwas an Pastellfarben erinnern. 1789 hat er den
berühmten Gefangenen der Bastille, Latude gemalt, der
seit den Zeiten der Pompadour in diesem Staatsgefängnis
schmachtete, wo man ihn einfach vergessen hatte. Das
Bild seiner Frau (S. 72), als Kostümbild äußerst charakteristisch, stellt Marie Anne Révérend dar, die er 1764 heiratete. Sie war die Tochter eines Emaillemalers, die Frau

— 70 —

84

eines Miniaturmalers und wurde 1789 durch ihre Tochter Nicole die Schwiegermutter eines anderen berühmten Miniaturmalers François Dumont. François Campana (†1786) war Kabinettmaler Marie Antoinettes und einer von jenen, die die Königin in den von ihrer Mutter verpönten Kostümen als Bäuerin oder Amazone im Reitfrack porträtierten. Sein hübsches Bild einer unbekannten jungen Dame (S. 73) steht der Miniatur nahe, in der ein nichtgenannter Maler die berühmte Schauspielerin Mme. Favart (S. 73) in einer der Glanzrollen ihres Repertoires als Babette gemalt hat. Marie Justine Benoite Duronceray kam 1744 aus Nancy nach Paris und heiratete 1745 Charles Paul Favart, Direktor der Komischen Oper. Sie bezauberte das ganze Publikum durch ihrenLiebreiz. Marschall Moritz von Sachsen, der Sohn August des Starken und der Gräfin Aurora von Königsmarck, war so hingerissen, daß er die Künstlerin auf Schritt und Tritt verfolgte und sie durch einen lettre de cachet einsperren ließ, als sie den aufdringlichen Huldigungen des stürmischen Kriegers widerstand. Als er noch immer nicht zu seinem Ziele kam, erklärte er der Sängerin, er werde ihren Mann töten lassen, wenn sie nicht seine Maitresse werde. Da gab sie endlich nach und wurde erst, als der aufgedrungene Liebhaber 1750 fiel, von ihm befreit.

Abb. 69. Lagrenée, Die Unschuld in Gefahr

— 71 —

Louis Lié-Périn (1753—1817) war der Sohn eines Tuch-
fabrikanten in Reims und widmete sich in Paris unter An-
leitung von Roslin der Malerei. Das junge Mädchen mit
der Harfe (S. 74) ist ein reizendes kleines Kunstwerk,

Abb. 70. Vestier, Die Gattin des Künstlers

man sieht, wie wirkungsvoll schöne Arme bei dem Spiel
dieses Instruments zur Geltung kommen. 1799 mußte der
Künstler die Malerei aufgeben und die väterliche Fabrik
übernehmen, deren Leitung er bis zu seinem Tode fort-
führte. Ganz im Sinne des Emile und der Nouvelle Hé-
loise ist das Porträt der Kinder des Herzogs von Montesquiou (S. 75) von Jacques Antoine Maria Lemoine (1752
bis 1824), einem Schüler von Maurice Quentin de la Tour.
Der Herzog von Montesquiou-Fézensac war 1790 Präsident
der französischen Nationalversammlung und starb 1832. Die
durch Rousseau aufgebrachte Mode der kleinen Kinder kommt
in dem Bildchen von Mathias Gräfin Vaudreuil zum Aus-

— 72 —

86

druck (S. 76). Die Dame ist die Gattin von Joseph François de Paula Graf Vaudreuil, der 1740 in San Domingo geboren, in die französische Armee eintrat und sich während des Siebenjährigen Krieges im Stabe von Soubise befand. Er wurde 1814 Gouverneur des Louvre und starb 1817.

Abb. 71. Unbekannt, Madame Favart

Eine Stellung ganz für sich nehmen in dieser Zeit die verschiedenen Mitglieder der Künstlerfamilie Blarenberghe ein. Louis Nicolas der Vater, Henri Désiré der Sohn, Henri Joseph der Enkel, haben sich durch die Feinheit ihres Pinsels ausgezeichnet. Sie haben auf kleinstem Raum Szenen dargestellt, die mit vielen, man ist versucht zu sagen unzähligen Figuren staffiert sind. Der Jahrmarkt in St. Germain vom Jahre 1763 gilt als ein Wunder ihrer Kunst, nicht minder berühmt ist die Dose, die auf der Kongreßausstellung in Wien zu sehen war. Sie stellt auf dem

Abb. 72. Campana, Bildnis

— 73 —

Deckel die Hochzeit des Prinzen Charles de Rohan-Roche-
fort mit Hunderten winzigster Figürchen vor und befindet
sich noch im Besitz der fürstlichen Familie Rohan. Das
Bild der Bocciaspieler (S. 77) ist im Besitz von Pierpont
Morgan.

Luc (Louis) Siccardi aus Avignon (1746—1825) kam

Abb. 73. Perin, Harfe spielende Dame

jung nach Paris und erhielt sich die Gunst, die er bei der
Hofgesellschaft Ludwig XVI. errungen hatte, auch durch
alle Stürme der Zeit. Er malte Directoire, Kaiserreich und
Restauration. Die Enkelin Nattiers (S. 78) ist wahrscheinlich Marie Tocqué, die sich um ihren berühmten Großvater,
den Maler Nattier, Verdienste erwarb, indem sie ihrer Mutter
bei der Lebensbeschreibung desselben zur Hand ging. Das
Kinderbild aus dem Jahre 1796 (S. 79) ist ein kleines
Denkmal. Françoise du Plain de Ste. Albine war durch
den Tod ihrer beiden Eltern, die als Opfer der Guillotine
gefallen waren, Waise geworden und wurde von ihrem
Onkel Pierre Boulouvard und seiner Frau Jeanne Rose

— 74 —

Abb. 74. Lemoine, Die Kinder des Herzogs von Montesquiou

Allier de Hauteroche an Kindesstatt angenommen. Zum
Andenken daran ließen die Adoptiveltern das kleine Mäd-
chen mit ihrem eigenen Sohne Bénoit zusammen malen.
Dieser Sohn starb, kaum 22 Jahre alt, schon im Jahre 1803.
Die Kleine heiratete später den Marquis de Pastour de
Costebelle.

Der Miniaturist Dumont, der Schwiegersohn Vestiers,
hat ebenfalls die Revolution und das Kaisertum überdauert.

— 75 —

Er hatte den sonderbaren Einfall, sich dadurch die Gunst der Herzogin von Angoulême und des Hofes zu verschaffen, daß er 1814 ein Bildnis der Königin Marie Antoinette in Empirekostüm mit ganz kurzer Taille malte, so als ob die Unglückliche noch lebe. Die Prinzessin besaß Geschmack genug, den Maler und sein Kunstwerk nicht zu beachten. Die Malerin Vigée-Lebrun (S. 80) ist die Künstlerin, die

Abb. 75. Mathias, Comtesse de Vaudreuil
mit ihrem Kind

mit ihrem Ruhm und ihren Porträts damals die ganze Welt erfüllte. Sie hatte in Paris Hof und Gesellschaft gemalt und verließ beim Ausbruch der Revolution Frankreich, in dem es für sie nichts mehr zu tun gab. Sie durchzog Europa von Süden nach Norden und malte so ziemlich alle Fürstinnen und Prinzessinnen, die es zwischen Neapel und St. Petersburg gab. Sie selbst bezifferte ihre Porträts auf mehr als 650. Alle sind anmutig und reizvoll, wie die Malerin selbst es war. Außer in den vielen Bildnissen, die andere von ihr gemalt haben, tritt uns ihr fesselndes Wesen sprechend und anschaulich aus den Erinnerungen entgegen, in denen sie ihr Leben beschrieb. Sie starb, 87 Jahre

— 76 —

alt, 1842 in Paris. Die Vigée-Lebrun war eine jener Damen gewesen, die schon vor der Revolution für die Antike geschwärmt hatten, die sich gelegentlich à la grecque kleidete und in ihrem Hause Symposien veranstaltete. Das Bild von Mme. de Saint Just, einer geborenen Godart d'Aucourt (S. 81), zeigt schon den Kontrast der bloß gräzisierenden

Abb. 76. v. Blarenberghe, Bocciaspieler

und der streng antik römischen Mode, wie sie David zur ausschließlichen Geltung brachte. Der Lorbeer auf ihrem Haupt und die Leier in ihrer Hand beweisen, daß diese schöne Frau literarische Ansprüche machte. Es war eine ganze Zeitlang guter Ton, sich als Corinne malen zu lassen. Augustin mußte z. B. Mme. Roberjot so darstellen. Mit diesem Künstler kommen wir zu einem der berühmtesten französischen Miniaturisten und mitten in die Zeit des Umsturzes und der Neubildung der Gesellschaft.

Jean Baptiste Jacques Augustin, ein Lothringer, kam 1781 mit 22 Jahren nach Paris und erwarb sich durch seine

— 77 —

Kunst als Maler in Miniatur und Emaille schnell einen bedeutenden Ruf. Große Frische und Ursprünglichkeit der Auffassung zeichneten ihn aus. Vor der Revolution soll er im Jahre etwa 30 Miniaturen gemalt. und gegen 5 bis 6000 Fr. verdient haben. Der große Ruhm und mit ihm die großen Einnahmen kamen erst während des Kaiser-

Abb. 77. Siccardi, Eine Enkelin Nattiers

reiches und blieben ihm, was unter den damaligen Umständen eine große Ausnahme war, auch unter der Restauration treu. Er malte Napoleon und Josephine, Eugen und Hortense Beauharnais, die Schwestern und Schwägerinnen des Kaisers und kurz darauf Ludwig XVIII. und die Herzogin von Angoulême. Sein Ansehen wuchs sogar noch und wenn er vorher 200, 400, 600 Fr. für eine Miniatur erhalten hatte, so bezahlte man ihm dieselben unter der Restauration mit 2000 – 3000 Fr. Er wurde 1832 ein Opfer der ersten Cholera-Epidemie. Seine Frau Pauline

— 78 —

du Cruet war ursprünglich seine Schülerin und bildete sich unter seiner Leitung zu einer perfekten Miniaturmalerin aus. Zur Erinnerung an seine Vermählung mit ihr am 20. Messidor des achten Jahres der Republik hat er seine ganze Familie (S. 82) gemalt. Man sieht ihn selbst, seine Mutter, seine Frau und die Angehörigen der letzteren Ger-

Abb. 78. Siccardi, Kinderporträt

main du Cruet, Mme. du Cruet, geborene Cornus de la Fontaine und Mme. Rémondat, geborene du Cruet. Diese Manier, viele Köpfe miteinander zu vereinigen, war recht beliebt, auch der Miniaturist Dumont hat sich und die Seinen in dieser Weise porträtiert. Die Prinzessin Lichnowski genannte junge Dame (S. 84) und die Unbekannte am Klavier (Tafel 8) gehören wohl noch dem achtzehnten Jahrhundert an. Mit den anderen Bildnissen stehen wir schon mitten in der neuen Zeit. Mlle. Bianchi (Tafel 10) und Fanny Charrin (Tafel 9) sind frisiert und gekleidet, wie man sich um das Jahr 1800 unter dem Konsulat trug, de-

--- 79 ---

kolletiert bis zur Unmöglichkeit, der Rest in den leichtesten Mousseline gehüllt. Die Hintergründe, mit ungewöhnlicher Sorgfalt behandelt, wollen für den Charakter der Dargestellten mit in Betracht gezogen werden. Fanny Charrin, die selbst Miniaturmalerin war, begnügte sich aber nicht mit einer bloßen Anspielung, sondern Inschriften müssen die sinnvollen Beziehungen restlos ausschöpfen. Sie zeigt auf den „Temple de l'amitié", auf dem Wege dahin liest man: „La Reconnaissance m'y conduit" und am Gebälk des Tempels: „Fanny en connaît tous les issues." Das wird man wohl nicht so verstehen dürfen, als habe die poetische Fanny nur die Ausgänge des Freundschaftstempels gekannt. Mlle. Duchesnois (Tafel 11) hat der

Künstler als Sophonisbe dargestellt. Sie war einer der glänzendsten Sterne der französischen Bühne und rivalisierte unter dem Kaiserreich mit Mlle. Georges - Weymer. Catherine Josephine Rafin, genannt Duchesnois, debütierte am 3. August 1803 als Phädra auf dem Théâtre Français und entzückte

Abb. 79. Dumont, Mme. Vigée-Lebrun

— 80 —

Abb. 80. Dumont, Mme. de Saint-Just

lurch ihren Ausdruck und ihre Empfindung. Das Publikum
eilte sich in zwei große Parteien, Anhänger der Duches-
ıois und Anhänger der Georges, die sich untereinander
nit einer heute nicht mehr recht verständlichen Wut und
Erbitterung bekämpften. Die Rivalität der beiden Tragö-
linnen schuf damals erst die Claque. Mlle. Duchesnois
gehörte mit zu der Elite französischer Schauspieler, die
n Erfurt vor einem Parterre von Königen spielte. Ihr
Stern erblich, als die Romantiker Vigny, Hugo, Dumas die

klassische Tragödie für eine Reihe von Jahren ganz von der Bühne verdrängten. Sie starb 1835, nachdem sie vor ihrem Tode noch das erbauliche Schauspiel einer Versöhnung mit der Kirche aufgeführt hatte. Die Herzogin von Danzig (S. 86) ist „Madame Sans Gêne", die in Sardous wirkungsvollem Stück solange unsere Bühnen beherrschte. Sie war Wäscherin, ihr Mann François Joseph Lefebvre ein elsässischer Müllerssohn. Er erhielt seinen Titel 1807

Abb. 81. Augustin, Der Künstler und seine Familie

nach der Einnahme von Danzig und starb 1820, nachdem zwölf Söhne und zwei Töchter vor ihm ins Grab gesunken waren. Wenn die Herzogin durch ihre Sprache und ihre Manieren auch der Hofgesellschaft beständig Anlaß zum Lachen gab, so war ihre Ehe doch außerordentlich glücklich und ungetrübt; als sie 76 Jahre alt 1835 starb, hinterließ sie ihren Nichten ein Vermögen von 15 Millionen. Die Gräfin Montalivet (S. 87) ist die Gattin des Grafen Montalivet, der 1809 Minister des Innern wurde und 1823 starb und Mutter eines anderen Ministers gleichen Namens, der sein

— 82 —

Portefeuille unmittelbar nach der Julirevolution von 1830 bis 1832 innehatte. Als sie noch Mlle. Lauberie de St. Germain hieß und bei ihren Eltern in Valence wohnte, hatte Napoleon für sie geschwärmt und sie heiraten wollen.

Neben Augustin glänzte der nur zehn Jahre jüngere Jean Baptiste Isabey, dessen langes Leben (er starb, 88 Jahre alt, 1855) ein französischer Schriftsteller sehr hübsch

Abb. 82. Unbekannt, Männliches Bildnis

die diamantene Hochzeit zwischen einem Künstler und dem Erfolg genannt hat. Seine Karriere, die er in seiner Selbstbiographie vielleicht nicht ganz wahr, aber dafür sehr hübsch geschildert hat, mutet in der Tat an wie ein Märchen. Er begann am Hofe Ludwig XVI. mit Bildern der kleinen Herzöge von Angoulême und Berry und endete, als Napoleon und Eugenie auf dem Throne saßen. Während der Republik war er Zeichenlehrer am Institut der Mme. Campan geworden und kam dadurch in nahe Beziehungen zu Hortense Beauharnais und ihrer Mutter Josephine. Er malte nicht nur den Kaiser und die Kaiserinnen, er hatte alle Hoffeste anzuordnen und ihnen ein künstlerisches Cachet zu geben. Er entwarf die Toiletten, die Marie Louise trug und absolvierte in all diesem Trubel von Zerstreuungen aller Art ein solches Pensum von Arbeit, daß es geradezu unmöglich ist, daß er alle die Werke, die seinen Namen tragen, auch wirklich selbst angefertigt haben sollte. Unter der Restauration bereiste er Europa und malte die ganze

Abb. 83. Augustin, Prinzessin von Lichnowski

vornehme Welt, seine Einnahmen sollen sich in dieser Zeit auf 40 000 bis 50 000 Fr. im Jahr belaufen haben. Er malte in allen Techniken und war auch für die Porzellanmanufaktur in Sèvres tätig. Er hat die berühmte, einen Meter im Durchmesser haltende Tischplatte ausgeführt, die in vierzehn Bildnissen den Kaiser und seine Marschälle darstellt. Diese Arbeit, für die Percier den Entwurf geliefert hatte, war 1810 beendet und wurde ihm mit 9000 Fr. bezahlt. Der ganze Tisch, der auf 35 000 Fr. zu stehen kam, war, als

— 84 —

J. AUGUSTIN, JUNGE FRAU AM KLAVIER

die Bourbons zurückkehrten, in größter Gefahr, als unpatriotisch zerschlagen zu werden und dankt seine Rettung nur einem Zufall. 1903 kam dieses Prunkstück für 40000 Frs. in den Besitz des Fürsten Ney de la Moskowa. Isabey hat sich, wie das Bild der Unbekannten (S. 88) zeigt, während

Abb. 84. Augustin, Unbekannte

eines kurzen Aufenthaltes, den er im letzten Jahrzehnt des achtzehnten Jahrhunderts in London nahm, auch im Stil der Plimer und Engleheart versucht, seine eigene Manier aber sehr bald gefunden. Napoleon ist in diesem Bilde (S. 89) noch der General Bonaparte, schlank mit spitzen harten Zügen. Der Cäsarenkopf der Folgezeit ist noch nicht herausgearbeitet. Es war durchaus nicht leicht, den großen Mann zufriedenzustellen, der Palastmarschall Daru schrieb einmal an Isabey, der Kaiser sei sehr wenig zufrieden mit seinen Miniaturbildern, er wünsche durchaus, hübscher zu erscheinen. Das Bild der Kaiserin Josephine (S. 90) vom Jahr 1806 stellt die liebenswürdige Frau noch im Zenith ihres Glanzes vor. Schon aber fielen durch die hetzerischen Stimmen der Angehörigen, die darauf hinwiesen, daß ein Kaiser einen Leibeserben haben müsse, trübe Schatten in ihr Glück. Als sie

— 85 —

Abb. 85. Augustin, Die Herzogin von Danzig
(„Madame sans Gêne")

dann im Dezember 1809 wirklich geschieden wurde, da er-
trug sie den Rücktritt in eine sehr bescheidene Stellung
äußerst ungern und litt unsäglich unter der Langweile, zu
der sie verdammt war. Die immer geschäftige Legende hat
um die geschiedene Josephine eine Aureole von Sentimen-
talität gewebt, mit Unrecht, die Kaiserin litt mehr durch
die Einschränkung, die ihr auferlegt war und durch die
Entfernung von Paris, als durch die Trennung von Napoleon. Kaum war Ludwig XVIII. in Paris, erzählt die
Herzogin von Dino, da bewarb sich sofort die Exkaise-
rin um eine Audienz bei ihm und suchte in wenig würde-
voller Weise Anschluß an den neuen Hof. Aus den ersten
Jahren des neuen Jahrhunderts muß auch die Miniatur der
jungen Frau am Klavier stammen (S. 91). Die Herzogin

— 86 —

AUGUSTIN, DIE BÜRGERIN FANNY CHARRIN

AUGUSTIN, MLLE BIANCHI

v. Boehn, Miniaturen u. S., Tafel 10

AUGUSTIN, Mlle DUCHESNOIS

Abb. 86. Augustin, Die Gräfin Montalivet

von Ragusa (S. 93) ist die Gemahlin des Marschalls Marmont, der den Titel wegen seiner langjährigen Verwaltung von Dalmatien erhalten hatte. Er verschuldete den definitiven Sturz Napoleons dadurch, daß er sich 1814 den Verbündeten unterwarf und dem Kaiser die letzte Rettung ab-

schnitt. Marmont hat dem Herzog von Reichstadt in einen
mehrere Wochen während Kursus das ganze Leben sei
nes großen Vaters erzählen dürfen und sich dadurch der
gerührten Dank dieses unglücklichen Bonaparte-Sprossei

Abb. 87 Isabey, Unbekannte Dame

erworben. Die letzten Jahre seines Lebens verwandte Mar
mont zur Abfassung seiner Erinnerungen, die eine wich
tige Quelle für die Geschichte der Kaiserzeit geworden sinc
er starb 1852, als das Kaiserreich eben neu erstand. Eine:
ganz besonderen Typus mondainer Eleganz schuf Isabey i:
den Schleierbildern, wie sie hier durch Mrs. Damer (S. 94
und die Fürstin Bagration (Tafel 12) vertreten werden. E
war der Erfinder dieses Genres und hat in dem Jahrzehn
zwischen 1810 und 1820 Dutzende von Damen der beste:

— 88 —

Gesellschaft in dieser Aufmachung gemalt. Kaiserinnen und Großfürstinnen, Herzoginnen und Roturieren wollten alle in dieser poetisch-romantischen Pose erscheinen, schwärmerisch-sentimental, so als seien sie der Erde eigentlich nur geliehen und würden gleich ihre Flügel ausbreiten, um auf ihren Schleierhüllen in den Äther zu entschweben. „Isabey", schreibt die Baronin du Montet in ihren Erinnerungen, „hat eine unfehlbare Methode um zu gefallen, er schmeichelt rasend. Eine Frau kann noch so häßlich sein, wenn er sie malt, erscheint sie hübsch und ätherisch wie eine Sylphide." Fürstin Bagration ist allerdings ein Beweis dafür, daß dieser Geschmack nur einer Mode angehörte, denn sie war ganz von dieser Welt. Gräfin Catharina Skawronska heiratete den achtzehn Jahre älteren Feldmarschall Fürsten Bagration, sie beglückte aber nicht nur diesen mit ihrer Neigung, sondern war äußerst freigebig mit ihrer Liebe. Gräfin Lulu Thuerheim, Graf de la Garde und andere Teilnehmer an den Festen des Wiener Kongresses berichten, welche Rolle die damals schon Witwe gewordene Fürstin, die gerade 31 Jahre zählte, im Liebesgetriebe der hier versammelten Welt spielte. Sie starb 1857. Man nannte sie ihrer „offenherzigen" Roben wegen nur den schönen nackten Engel. Vierzig Jahre, nachdem dieses Bild entstanden war, überrascht Baron Hübner die Siebzigerin noch in einer äußerst zärtlichen Situation.

Der bedeutendste Schüler Isabeys, trotzdem er sieben Jahre älter als sein Lehrer, war Jean Guérin (1760 bis 1836). Er ist ein Miniaturmaler von allererstem Range, ausgezeichnet durch energische Charakteristik und eine in diesem Format seltene Kraft der Pinselführung. Er war Maler und Kupferstecher und hat 1789 die Porträts der Abgeordneten der Nationalversammlung in Kupfer gestochen. Als Nationalgardist soll er am 20. Juni 1792, als der

Abb. 88. Isabey, Napoleon Bonaparte

— 89 —

Pöbel die Tuilerien stürmte, der Königin Marie Antoinette
das Leben gerettet haben. Das Bildnis in griechischen Ideal-
gewändern (S. 95) trägt der Zeitmode Rechnung; die Tänzerin (S. 96) nähert sich der Auffassung, wie sie damals
durch die Umrißstiche nach den in Herkulanum und Pom-

Abb. 89. Isabey, Kaiserin Josephine

peji entdeckten Fresken als klassisch verbreitet worden war.
Die Porträts des General Duhamel (S. 97), der Gräfin Montangon (S. 99), einer Unbekannten (S. 100) zeigen den
Künstler im Besitz einer Gabe, die bei Miniaturisten nicht
gerade häufig angetroffen wird, der Fähigkeit, treffend zu
charakterisieren und Köpfe von stark individuellem Gepräge
zu schaffen. Das Meisterwerk Guérins ist das Porträt des
General Kleber (Tafel 13), ein Meisterwerk der Miniaturmalerei überhaupt, an Kraft und Leidenschaft auf kleinstem Raum nicht leicht zu übertreffen. Das Original befindet sich im Louvre, der das Bildchen 1849 für nur 500 Fr.
erwarb, es gibt aber mehrere Wiederholungen davon. Jean

— 90 —

Baptist Kleber, ein Straßburger, wurde durch einen Zufall Zögling des Münchner Kadettenkorps und trat 1772 in österreichische Dienste, die er 1783 verließ, um Bauinspektor in Belfort zu werden. 1792 schloß er sich den Truppen der Republik an. Er avancierte rasch, so daß er schon als General mit Bonaparte nach Ägypten zog. Als er am 14. Juni 1800 in Kairo durch einen fanatischen Muselmann ermordet wurde, war Napoleon einen heimlichen Widersacher los, der ihm sehr gefährlich hätte werden können, war Kleber doch überzeugter Republikaner und entschlossen, die Republik nicht nur gegen äußere, sondern auch gegen innere Feinde zu verteidigen.

Neben diesen großen Meistern ihres Faches betätigte sich eine Anzahl von Künstlern zweiten Ranges. Da ist Charles Chatillon, der von 1795—1808 im Salon ausstellte und sich besonders in einem Fache auszeichnete, welches Degault erfunden haben soll, der Imitation von Kameen in Malerei. Sein Bildnis Napoleons (S. 101) in großem Kostüm mit dem Lorbeer der Imperatoren gekrönt, gibt dem Kaiser die Züge, die der große Mann zu haben wünschte, in der Wirklichkeit und nach dem Urteil Unparteiischer aber doch wohl nicht besaß. Karoline Pichler, die ihn 1809 in Schönbrunn wiederholt ganz in der Nähe sah, schreibt: „Die Erscheinung

Abb. 90. Isabey, Junge Frau am Klavier

— 91 —

war nicht ansprechend. Seine Züge waren regelmäßig, das Kinn besonders schön, ganz antik aufgebogen, wie an einem Antinouskopf. Aber diese edlen Lineamente verloren durch die breite Fleischmasse des allzu vollen Gesichtes den größten Teil ihres Adels und ihrer Bedeutung." Daniel Saint (1778—1847), ein Schüler Isabeys, erreichte seinen Meister so vollkommen, daß Isabey sich begnügte, die Arbeiten desselben zu signieren, um sie für seine eigenen auszugeben. Saint soll das Miniaturbild Napoleons gemalt haben, das dieser seiner Braut sandte, in einer Brillantenfassung für 175 000 Fr. Heute ist dies Medaillon im Besitz der Gräfin Therese Fries, die Diamanten aber sind durch Straß ersetzt. Nach den Angaben von Leo Schidlof wäre aber nicht Saint, sondern Duchesne der Maler. Das Bild der Prinzessin Pauline Borghese (S. 102) rechtfertigt den großen Ruf des Künstlers. Es ist die berühmt schöne Schwester Napoleons, die von all seinen Verwandten die bescheidenste Partie machte. In erster Ehe mit dem General Leclerc vermählt, heiratete sie, jung Witwe geworden, 1803 den Prinzen Camillo Borghese, der 1806 den Titel Herzog von Guastalla erhielt. Sie starb in Florenz 1825. Kein Italienreisender passiert Rom, ohne nicht im Kasino der Villa Borghese ihre liegende Marmorstatue von Canova zu bewundern. Ein von den Beauharnais stark protegierter Künstler war Jean Antoine Laurent (1763—1832). Das reizvolle Porträt einer Unbekannten aus dem Jahre 1804 (Tafel 14) stellt die junge Frau eines der Adjutanten des General Rapp vor. Laurent blieb auch unter Ludwig XVIII. und Karl X. in Gunst. Als Louis Philipp 1832 dem 69 jährigen Künstler die Ehrenlegion verlieh, starb der Greis aus Freude über diese unerwartete Ehre. Marie Nicolas Ponce-Camus (1778—1839) war ein Schüler von David. Das Bild einer jungen Dame aus dem Jahre 1800 (S. 103) zeigt die damalige Frisur, die man au coup de vent nannte.

Aus dem Kreise dieser dem Hofe mehr oder weniger nahestehenden Miniaturisten wird auch das Bildnis der Mutter Napoleons (S. 105) hervorgegangen sein, das auf ein Original Gérards zurückgeht. Maria Lätitia Ramolino, geboren 1750, 1767 mit Carlo Bonaparte vermählt, 1785 Witwe, starb erst 1836 in Rom. Aus Mangel und Dürftig-

Abb. 91. Isabey, Die Herzogin von Ragusa

keit heraus sah sie ihre Kinder die ältesten Throne Europas besteigen, ein Schicksal, das ihren Gleichmut nicht erschütterte. „Pourvou que ça doure", soll sie in ihrem italienisch-französischen charabia skeptisch gesagt haben, wenn ihr wieder von einem neuen Glanz berichtet wurde, der in ihr Haus gefallen war. Sie blieb auch als Madame Mère die sparsame Hausfrau, die den Wert des Geldes schätzen gelernt hatte, und machte für Überflüssiges nur dann Ausgaben, wenn sie Reliquien kaufen konnte, für die sie als bigotte Katholikin eine große Schwäche besaß. Das Bildchen, das hier Napoleon als Knabe (S. 106)

bezeichnet ist, kann, wenn es überhaupt einen Angehörigen der Familie Bonaparte darstellt, nur Napoléon III. oder
den Herzog von Reichstadt vorstellen. Als Napoléon I. ein

Abb. 92. Isabey, Mrs. Damer

Knabe war, wurden die Kinder beiderlei Geschlechts noch
frisiert und gekleidet wie die Erwachsenen, ein sachlicher
und bequemer Anzug für Kinder kam erst in Gebrauch,
als der erste Napoleonide schon ein erwachsener Mann war.
François Huet Villiers (1772—1813) hat, wie so viele
andere seiner bedeutenderen Zeitgenossen (man braucht nur
an David und Gérard zu denken), die berühmte Schönheit
von Juliette Récamier (S. 107) gemalt. Sie war die Toch-

— 94 —

ISABEY, FÜRSTIN BAGRATION

Abb. 93. Guérin, Junge Frau in griechischem Kostüm

— 95 —

ter eines Bankiers Bernard in Lyon, wurde 1777 geboren und heiratete mit 15 Jahren den Bankier Jacques Récamier in Paris. Unter dem Direktorium spielte sie in der französischen Hauptstadt die erste Rolle, Reichardt, der in dieser

Abb. 91. Guérin, Tänzerin

Zeit Paris besuchte, hat begeisterte Beschreibungen ihrer Person, ihres Hauses und ihrer Zirkel nach Hause gesandt. Napoléon konnte sie nicht ausstehen und unterließ es, ihrem Manne zu helfen, als das Bankgeschäft desselben in Zahlungsschwierigkeiten geriet und liquidieren mußte. So zog sich die schöne und elegante Frau aus der Gesellschaft zurück. „Die schönste Frau ihrer Zeit" war kalt wie Eis, eine körperliche Mißbildung soll ihr die Tugend zur Pflicht

— 96 —

gemacht haben, so schmachteten Napoléon, Prinz August von Preußen und viele andere umsonst um Gegenliebe bei ihr. Die Freunde ihrer guten Tage hielten daran fest, daß die Reize der schönen Juliette nicht alterten, aber die Jugend war weniger nachsichtig. „Ich hielt Frau Récamier für ein junges Gänschen", schreibt Charles de Rémusat 1816 seiner Mutter und Gavarni, der ihr im Salon der Herzogin von Abrantès begegnete, erschien das kleine fette Weibchen wie eine ganz gewöhnliche Land-

Abb 95. Guérin, General Duhamel

pomeranze. Ja der Tag einer schönen Frau ist kurz, man darf sich nicht selbst überleben, wie die schöne Juliette, die erst 1849 an der Cholera starb.

Pierre Paul Prudhon (1758—1823), der Maler der Grazien, dem es so schlecht ging, weil seine anmutige Kunst so gar nicht mit dem Zeitgeschmack Davidscher Römertugend übereinstimmte, hat seine unglückliche Freundin Constanze Mayer la Martinière (S. 108) gemalt. Prudhon war durch eine unüberlegt in der Jugend eingegangene Ehe an ein halbtolles Weib gefesselt, das schließlich ganz den Verstand verlor, von dem er sich aber nicht scheiden lassen konnte. So versüßte ihm Constanze das Leben in einem frei geschlossenen Bunde. Beide waren glücklich und bei aller Armut zufrieden, bis Verleumdungen und Kränkungen verschiedener Art das arme Mädchen in den Tod trieben. Sie vergiftete sich 1821 und Prudhon welkte ihr nach, um schon zwei Jahre nach ihr zu sterben. Sie war eine talentvolle Künstlerin, wie die Miniature von Mme. Roland (S. 109) beweist. Jeanne Marie Phlipon verheiratete sich 1780 mit Roland de la Platière, einem Beamten der alten Monarchie. Begeisterte Republikanerin, beeinflußte sie ihren Mann und zog ihn auf die Seite der neuen Einrichtungen hinüber, er wurde 1792 Minister des Innern. Als die Girondisten, zu denen sie gehörten, im Juni 1793 den Angriffen der Bergpartei unterlagen, wurde sie eingekerkert und bestieg am 9. November die Guillotine, noch nicht 40 Jahre alt. Ihr Mann, dem es gelungen war, zu entfliehen, tötete sich acht Tage später selbst. Die geistvolle und energische Frau hat die Muße ihres Kerkers dazu benutzt, ihre Memoiren zu schreiben, sie sind ein wertvolles Dokument zur Kenntnis einer seltenen Persönlichkeit und einer stürmischen Zeit.

Den französischen Künstlern dürfen wir Alexander Kucharski (1741—1819) zurechnen, einen polnischen Maler, der in Warschau geboren, in Paris lernte und lebte. Er malte Marie Antoinette im Temple und in der Conciergerie, ganz kurz vor ihrem Tode und auch ihren unglücklichen zweiten Sohn (S. 110), den die Ironie der Geschichte Ludwig XVII. genannt hat. Das unglückliche Kind, das die barbarischen Mißhandlungen seines „Erziehers", des Schusters Simon mit zehn Jahren dem Tode überlieferten, hat in der Folgezeit ein seltsames Interesse gewonnen, indem eine ganze Reihe falscher Dauphins auftauchten, die alle behaupteten, der kleine heimlich aus dem Temple gerettete Prinz zu sein. Der erste dieser Prätendenten war der Schneider Jean Marie Hervagault, der zweite der Schuster Mathurin Bruneau, der dritte der Spandauer Uhrmacher Karl Wilhelm Naundorf, der vierte ein Abenteurer Louis Hebert, der fünfte ein russischer Major Ludwig Carlowitsch de Ligny-Luxemburg usw. Naundorf spielte seine Rolle am längsten und mit dem größten Glück, trotzdem ihm die Gerichte sofort seine Antezedenzien nachwiesen, er hatte unter anderem in Brandenburg a. Havel schon mit dem Zuchthaus Bekanntschaft gemacht. Er wurde von der legitimistischen Fronde unter der Julimonarchie als Sturmbock gegen Louis Philipp benutzt und von Personen des reichen Adels unterstützt, die doch wohl selbst nicht an sein Märchen glauben konnten, verstand der angebliche Herzog von der Normandie, als er 1832 in Paris auftauchte, doch nicht einmal ein Wort Französisch und hat seinen deutschen Tonfall, auch nachdem er es gelernt hatte, nicht verloren.

Ob man den großen Spanier Goya, der ohnehin augenleidend war, die Anfertigung von Miniaturen zuschreiben

Abb. 96. Guérin, Gräfin Montangon

darf, erscheint zweifelhaft, sicher aber ist das Bildchen
der Königin Marie Louise von Spanien (S. 111), wenn nicht
von ihm, so doch nach einem Original von seiner Hand.
Goya hat die Königin mit dem schönen Körper und dem
gemeinen Gesicht unendlich oft gemalt; ein Gemälde, das
sie in der gleichen Uniform wie hier darstellt, aber zu
Pferde, befindet sich in der Galerie des Prado in Madrid.
Sie war eine Tochter des Herzogs von Parma, 1751 geboren und 1765 mit dem späteren König Karl IV. von Spanien vermählt. Nachdem sie ihre Liebhaber mit der Leichtigkeit gewechselt hatte, wie andere Menschen ihr Hemd,
attachierte sie sich schließlich so an einen schönen Gar-

— 99 —   7*

disten der Wache, daß sie ihn mit Würden, Ehren und Titeln überhäufte und zum Friedensfürsten erheben ließ. Der Haß, mit dem sie ihren erstgeborenen Sohn, den späteren König Ferdinand VII., verfolgte, hat zu der jämmer-

Abb. 97. Guérin, Unbekannte Dame

lichen Katastrophe des Jahres 1808 geführt, wo Napoleon die gesamte spanische Königsfamilie davonjagte und seinen Bruder Joseph zum König von Spanien machte. Das Trio Karl IV., Marie Louise und Don Manuel Godoy principe de la Paz zog sich nach Rom zurück. Sie waren sich unentbehrlich geworden und kehrten auch nach der Restauration der Bourbonen nicht mehr nach Spanien zurück. Marie Louise starb in Rom 1819, Gabriele von Humboldt schreibt am 15. Januar: „Die Überreste der Königin von Spanien haben Rom eine ganze Woche unterhalten müssen.

— 100 —

GUÉRIN, GENERAL KLÉBER

v. Boehn, Miniaturen u. S., Tafel 13

Es werden 12000 Messen für sie gelesen, sie wird per forza spedita nell paradiso." Wenn der Himmel sich solche Heilige aufdrängen läßt, muß es lustig darin zugehen!

Abb. 98. Chatillon. Napoleon I.

Die große Epoche der Miniaturkunst geht um die Zeit zu Ende, als die Lithographie sich Bahn bricht. Diese ursprünglich deutsche Erfindung hat in Frankreich zuerst eine künstlerische Ausbildung erfahren und ist von talentierten französischen Künstlern sofort auf die höchste Stufe der Vollendung erhoben worden. Der lithographische Stein ist ein Material, das von Feder, Radiernadel, Tusche mit der gleichen Leichtigkeit bearbeitet werden kann und fast

— 101 —

Abb. 99. Daniel Saint. Prinzessin Pauline Borghese

spielend die stärksten Wirkungen hergibt. Die Porträtlithographie drängte die Miniatur mit ihrer mühevollen Technik in den Hintergrund und es sind nur noch einige Nachzügler der großen Zeit, die ihr treu bleiben,und ihre Tradition einem weniger dankbaren Geschlecht vermitteln. Zu den begabtesten von diesen gehört Louis François Aubry (1770—1850), ein Schüler von Isabey, der Maler der Dame mit der Harfe vom Jahre 1817 (S. 112). Man kann es nicht genug bedauern, daß er den Namen seines Modells nicht genannt hat. Das elegante Milieu, die kostbare und gewählte Kleidung mit dem herrlichen Longchale, der allein schon ein Vermögen repräsentiert, lassen nur an eine sehr vornehme Dame denken, das Blondhaar und der eigentümliche Blick lassen fast auf die Herzogin von Berry raten, die 1816 vermählt wurde und zu deren Eigentümlichkeiten das schielende Auge gehörte. Unter Karl X. und Louis Philipp war Madame de Mirbel (Tafel 15) die beliebteste Miniaturmalerin. Aimée Zoé Lizinka Rue war Schülerin von Augustin und empfahl sich bei Hofe, indem sie 1818 ein sprechend ähnliches Porträt von Ludwig XVIII. malte, ohne daß der König ihr eine Sitzung bewilligt hatte. Sie wurde zur Kammermalerin ernannt und heiratete 1823 Charles François Brisseau de Mirbel. Sie starb 1849 im Oktober im Alter von 53 Jahren an der Cholera. Die Minia-

— 102 —

LAURENT, BILDNIS

ture der beiden Schwestern Pourtalès, die um das Jahr 1830 entstanden sein muß, zeigt zwei Damen einer vornehmen Familie Schweizer Ursprungs, die in Preußen und Frankreich den Grafentitel erhielt (S. 115). In der Diplomatie beider Länder haben ihre Angehörigen eine ebenso große Rolle gespielt, wie in der vornehmen Pariser Gesellschaft, zu deren glänzendsten Salons unter dem zweiten Kaiserreich der der Gräfin Pourtalès gehörte. Wie Madame de Mirbel eine Schülerin Augustins, so war Frédéric Millet (1786—1859) ein Schüler von Isabey und Aubry. Er gehört zu den letzten der großen Miniaturkünstler und war viel von der englischen Aristokratie beschäftigt. Sein Bild der Lady Hargreaves (S. 117) stellt eine jener schmachtenden englischen Salonschönheiten in dem Stil dar, wie sie damals in den Keepsakes, den Albums of Beauties und ähnlichen Publikationen abgebildet wurden.

Abb. 100. Ponce-Camus, Junges Mädchen

Die deutsche Schule.

Die deutsche Miniaturmalerei fand ihren Ursprung wie die englische und französische im sechzehnten Jahrhundert. Wenn sie trotzdem nicht zu einer solchen Blüte kam, wie bei ihren westlichen Nachbarn, so lag das wohl daran, daß Deutschland keinen Hof hatte, an dem diese Luxuskunst sich hätte entfalten können. Deutschland fehlte der Mittelpunkt höfischen Lebens, wie ihn Frankreich in Paris unter den letzten Valois, England in London unter den letzten Tudors besaß. Deutschland zählt unter seinen Miniaturisten Künstler von erstem Range, aber sie schafften in der Verborgenheit. In doppelter Verborgenheit sogar. Hans Mülich (1516—1573), auf den Ernst Lemberger neuerlich die Aufmerksamkeit lenkte, arbeitete in München an einem kunstsinnigen aber kleinen Hofe, und wenn seine Arbeiten schon dadurch einem größeren Kreise vorenthalten blieben, so waren sie es noch mehr durch den Umstand, daß er seine Meisterwerke der Porträtkunst in Bücher malte. Schon die kostbare Ausstattung derselben, die heute zu den Schätzen der Königl. Hof- und Staatsbibliothek in München gehören, hinderte ihren Gebrauch und ihr Bekanntwerden. Zu den Miniaturmalern des Hofes der bayerischen Herzöge gehörten auch die beiden Ostendorfer, Vater und Sohn, der eine im Anfang, der andere in der zweiten Hälfte des sechzehnten Jahrhunderts als Buchmaler beschäftigt. Auch die namhaftesten deutschen Künstler der Epoche Dürer, Cranach u. a. haben Bildnisse in kleinem Format angefertigt, wenn man sie deswegen auch nicht zu den eigentlichen Miniaturmalern rechnen darf. In der ehemaligen brandenburgischen Kunstkammer, die älteren Besuchern der Berliner Sammlungen noch aus dem Schlosse, später aus dem Neuen Museum bekannt ist, und deren Bestände vor einem Menschenalter zwischen dem Hohenzollern- und dem Kunstgewerbe-

Abb. 101. Gérard, Mme. Bonaparte,
die Mutter Napoleons

museum aufgeteilt wurden, befand sich ein Miniaturbildchen des Markgrafen Friedrich des Älteren von Ansbach, das auf ein Silberplättchen gemalt war und Dürer zugeschrieben wurde. Aus Dürers Werkstatt sind Buchmalereien der Glockendon u. a. hervorgegangen, wie weit der Meister selbst an ihnen beteiligt gewesen sein mag, muß dahingestellt bleiben. Ungemein fruchtbar dagegen an allem, was in das Bereich eines damaligen Malers fiel, war die Werkstatt von Lucas Cranach (1472—1553), in der Bilder, Zeichnungen, Holzschnitte und dergleichen in einem förmlich fabrikmäßigen Betriebe hergestellt worden sind. Das erklärt das Lederne und Geistlose so vieler der Ar-

— 105 —

beiten, die mit dem bekannten Cranachschen Werkstatt-
zeichen, dem Drachen, signiert sind. Kardinal Albrecht von
Brandenburg (S. 118) war der Sohn des Kurfürsten Johann
Cicero und schon mit 24 Jahren Kurfürst von Mainz. Er
war ein außerordentlich kunstsinniger Fürst, der sich von
Albrecht Dürer und Cranach porträtieren ließ, sein Grab-
denkmal bei Peter Vischer in Auftrag gab, Bilder von
Grünewald, Hans Baldung Grien u. a. kaufte. Seine Hof-
haltung in Halle an der Saale war eine der glänzendsten
der Epoche. Bei dem Besuche, den ihm zu Ostern 1536
Kurfürst Joachim II. von Brandenburg mit seiner Frau
machte, ließ der Kardinal in 14 Tagen 50000 Gulden auf-
gehen und gab dazu Geschenke im Betrage von 100000 Gulden. Zweihundert Jahre später hätte ein solcher Fürst
seine Mittel beim Bau von Lustschlössern und dem Sam-
meln italienischer Bilder verschwendet. Der Kardinal verwandte sie noch zum Bau und zur Ausstattung eines Dom-
stiftes, des sogenannten Neuen Stiftes in Halle. Er stat-
tete die Kirche desselben mit dem größten Prunk aus und
brachte einen Reliquien-
schatz zusammen, der es
mit dem berühmten ähn-
lichen Friedrich des
Weisen in Wittenberg an
Seltenheit der Stücke und
Kostbarkeit der Behälter
wohl aufnehmen konnte.
Schon setzte sich überall
im Norden Deutschlands
die Lehre Luthers durch,
als Albrecht noch durch
die prunkvollsten Zere-
monien und die pomp-
haft ausgestatteten Pro-
zessionen den alten Glau-
ben stützen zu können
meinte. Zwei Faktoren
haben dem Glanz ein
Ende gemacht, die Refor-
mation und die Schulden.

Abb. 102. Französische Schule,
Napoleon als Knabe

— 106 —

Abb. 103. Villiers, Mme. Récamier

Auch die riesigen Mittel des Kardinals erschöpften sich, die Schulden wuchsen ins Unermeßliche und selbst die Fugger wollten nicht mehr borgen. Es ist bekannt, daß Tetzel im Auftrage Albrechts seinen Ablaßhandel trieb und dabei von Fuggerschen Agenten begleitet wurde, die auf die Pfennige der Gläubigen, kaum daß sie eingezahlt waren, schon Beschlag legten. Die Finanzen des Kardinals erlaubten nicht länger eine so kostspielige Schöpfung wie das Neue Stift in Halle über Wasser zu halten. Am 22. März 1541 wurde die letzte Messe darin gelesen, die köstlichen Kleinode mit den heiligen Gebeinen wurden verpfändet und verkauft. Die Reformation nahm von der Stadt Besitz. 1545 ist Albrecht gestorben.

-- 107 --

Abb. 104. Prudhon, Constance Mayer

Ein Zeitgenosse des Sachsen Cranach ist der Rheinländer Barthel Bruyn (ca. 1493 bis ca. 1556). Ein Kölner und Schüler des Meisters vom Tode der Maria ist er durch seine großen Altarwerke berühmt geworden. Ausnahmsweise scheint er auch in kleinem Format gearbeitet zu haben, wie das weibliche Porträt (S. 119) beweist. Wenn auch der Name der Dargestellten nicht aufbehalten ist, so hat das Bildchen dadurch Interesse, daß es nach Lembergers Angaben die früheste Miniatur ist, die aus dem westlichen Deutschland überhaupt bekannt ist. Aus dem Anfang des siebzehnten Jahrhunderts kennen wir in Friedrich Brentel (1580—1651) einen Künstler, der die Radiernadel des Kupferstechers mit demselben Geschick führte, wie den Pinsel des Miniaturmalers. Von seiner Hand bewahrt das

— 108 —

Abb. 105. Constance Mayer, Mme. Roland

Großherzogliche Kupferstichkabinett in Karlsruhe eine ganze
Reihe von Bildern der Mitglieder der gräflichen Familie
Solms. Dann folgt im deutschen Kunstleben die unheil-
volle lange Stagnation, die durch das Elend des furchtbaren
großen Krieges heraufbeschworen worden war. Die Höfe
gewöhnten sich, ihre künstlerischen Aufträge Fremden an-
zuvertrauen, im Norden Deutschlands arbeiten Holländer
und Franzosen, im Süden Italiener. Aus dieser Zeit stammen die beiden hübschen Miniaturen vornehmer Damen (Tafel 16), deren Originale dem Nationalmuseum in München an-
gehören. Sie müssen um das Jahr 1640 herum entstanden sein.
Am kurbrandenburgischen Hofe arbeitete der Franzose Jean

— 109 —

Pierre Huault Miniaturporträts in Emaille. Er empfing 1691 ein jährliches Gehalt von 400 Talern, für das er im Jahr zwei Miniaturbilder liefern mußte. Der deutsche Emailleur Lorenz Eppenhoff erhielt in der gleichen Zeit nur 300 Ta-

Abb. 106. Kucharski, Ludwig XVII.

ler Gehalt, also 100 Taler weniger als der Franzose, mußte aber dafür auch dreimal mehr Arbeit leisten, nämlich sechs Bilder im Jahr abliefern. Ein Schüler Huaults war wohl Samuel Blesendorff, der sich als Emailleur, Kupferstecher und Ölmaler hervortat und 1706 in Berlin gestorben ist.

Am kurbayerischen Hofe überwog, seit der Kurfürst Ferdinand Maria die Prinzessin Adelaide von Savoyen geheiratet hatte, der italienische Einfluß, unter seinem Sohn, dem Kurfürst Max Emanuel (S. 121) kam der französische zu Ehren. Dieser Kurfürst, unter dem Bayern so schwere Tage durchgemacht hat, trat 1679 mit 17 Jahren die Re-

gierung an und heiratete 1685 die Erzherzogin Marie An-
tonie von Österreich, die Tochter Kaiser Leopolds. 1692
Witwer geworden, vermählte er sich 1695 mit der Prinzessin Therese Kunigunde Sobieska, der Tochter des Polenkönigs, der 1683 Wien befreit hatte. Der älteste Sohn Max Ema-
nuels sollte nach dem Tode Karl II. die spanische Monarchie erben, als er plötzlich in Brüssel starb. Ob die Dumm-

Abb. 107. Goya, Königin Marie Luise von Spanien

heit der Leibärzte genügte, den jungen Fürsten umzubrin-
gen, oder ob, wie Liselotte will, ein österreichisches Pül-
verchen nachgeholfen hat, ist nie festgestellt worden. Jedenfalls trat der Kurfürst im Spanischen Erbfolgekriege
auf französische Seite und zog dadurch seinem unglücklichen Lande alle Schrecken einer österreichischen Inva-
sion und Verwaltung zu. Während seine Gattin in vollen
Zügen die Freuden Venedigs genoß, seine Kinder in der
Gefangenschaft des Gegners mit Härte und Roheit behandelt wurden, verbrachte der Kurfürst die Jahre der Verbannung in Versailles, mehr lustig als würdig, wie die

— 111 —

Abb. 108. Aubry, Dame mit Harfe

brave Pfälzerin des öfteren berichtet. Er starb in Würden und Besitz zurückgeführt 1726. Wer die beiden angeblichen Prinzessinnen aus dem Hause Habsburg (Tafel 17) sein können, ist leider auch nicht annähernd festzustellen. Da sie die Modefrisur der Fontange tragen, müssen sie wohl nach 1685 und vor 1714 gemalt worden sein, denn so lange etwa hat dieser Kopfschmuck die Damen verschönt und gedrückt. Es muß nicht leicht gewesen sein, diese Frisur, die viel komplizierter war, als sie aussieht, auf dem Kopfe zu balancieren. Die Herzogin von Orléans wenigstens macht sich immer darüber lustig, daß ihr die Fontange egal schief sitze und das Gewicht derselben, der Stäbe, die Haare und Schleifen hielten, scheint sehr beträchtlich gewesen zu sein; einer der witzigen Pariser Abbés bemerkte einmal, die Damen ließen sich jetzt vom Schlosser frisieren.

Der berühmteste deutsche Miniaturist der ersten Hälfte des achtzehnten Jahrhunderts ist Balthasar Denner (1685 bis 1748), der Maler der Hansestädte, er wurde in Hamburg geboren, in Danzig ausgebildet und starb in Rostock. Er genießt bei jenem Teil des Publikums, das die Bilderga-

CHAMPMARTIN, MADAME DE MIRBEL

v. Boehn, Miniaturen u. S., Tafel 15

lerien nur unter dem Pflichtgebot des Bildungszwanges besucht, noch heute das Ansehen, das ihm bei Lebzeiten von Fürsten und Herren gezollt wurde. Seine „Fältchen- und Porenkunst", die mit ängstlichem Pinsel keine Runzel und kein Haar ausläßt, bildet immer das Entzücken aller, die Kunststück und Kunst verwechseln. Seine bekannten (soll man sagen berühmten, darf man sagen berüchtigten?) Köpfe eines alten Mannes und einer alten Frau, von denen es so viele Wiederholungen gibt, waren in dem Nordlichtkabinettchen der Alten Pinakothek mehr belagert, als selbst die van der Werffs nebenan; hätte Tschudi sie geschont, wer weiß, ob seine glänzende Neuaufstellung der Galerie so viele Gegner gefunden hätte!? Die Höfe haben Denner mit Arbeiten überhäuft. Er erhielt für ein Miniaturporträt 20 Taler, wenn es ein bloßes Brustbild war, 40 Taler, wenn die Hände zu sehen waren.

Als Miniaturist folgt auf Denner Daniel Chodowiecki (1726—1801). Die Nachwelt hat den Künstler immer nur als den liebenswürdigen Radierer gefeiert, dessen Blätter ihr das ganze friderizianische Preußen verkörpern, aber den größeren Teil seines Lebens hat Chodowiecki der Miniaturmalerei gewidmet. Schon als Knabe hat er in Danzig kleine Brustbilder des Polenkönigs Stanislaus Lesczynski zu Dutzenden gemalt. Er ging nach Berlin mit der Absicht, seinem Onkel Anton Ayrer im Geschäft an die Hand zu gehen. In diesem Quincaillerie-Geschäft hat er lange Jahre Emaillen und Miniaturen gefertigt, sich endlich selbständig gemacht, diesen Zweig seiner Kunst aber weitergepflegt. Friedrich der Große und Chodowiecki sind gar nicht ohne einander zu denken. Wenn der Ruhm des Preußenkönigs dem kleinen Berliner Maler ein glänzendes Auskommen sicherte (Jahre hindurch soll die monatliche Einnahme, die Chodowiecki mit Bildern seines Königs erzielte, 100 Taler betragen haben), so hat dafür der Maler Mit- und Nachwelt die Gesichtszüge, das Aussehen und die Erscheinung des „Alten Fritzen" getreulich bewahrt, wahrheitsmäßiger und typischer als der Hofmaler Pesne. Friedrich hat Chodowiecki nicht gesessen, er erzählt selbst in sehr launiger Weise, wie er bei einem Besuche in Sanssouci Zeuge der Abneigung wurde, die der König dagegen hatte.

Der Modelleur Meyer von der Porzellanmanufaktur kam mit einer fertigen Büste des Monarchen und bat ihn, dieselbe nach der Natur korrigieren zu dürfen. Friedrich aber ließ ihn abweisen und ihm sagen, er solle sich einen alten Affen suchen und nach dessen Fratze korrigieren, das sei Ähnlichkeit genug. Wenn der Künstler vom Könige auch keine Sitzungen bewilligt erhielt, so hat er ihn doch oft genug gesehen, um sich das charakteristische Bild desselben einprägen zu können. Chodowiecki hat Friedrich den Großen in Brustbild und zu Pferde porträtiert und seiner Auffassung ein solches Cachet überzeugender schlichter Naturwahrheit zu geben verstanden, daß das Bild des Königs so, wie Chodowiecki ihn sah, auf die Nachwelt übergegangen ist. Der Künstler beherrschte alle Techniken der Miniatur, er arbeitete in Emaille, in Öl, mit der Feder, Wasserfarben usw. Er galt seinerzeit für teuer, denn er nahm für eine Miniatur je nach der darauf verwandten Zeit und Mühe 15 bis 50 Taler, als Regel etwa 25 bis 30 Taler. Emaillierte Köpfe ließ er sich mit 15 bis 20 Taler bezahlen, ganz kleine Miniaturen, wie man sie in Ringen und Berloques trug, kosteten 40 Taler, Miniaturen für Armbänder 8 Louisdors.

In Dresden arbeiteten um diese Zeit Gabriel Ambrosius Donath, ein verrückter Zwickel, der sich in allerhand Launen und Schrullen gefiel, so trug auch er wie Liotard einen langen Bart, und die Familie Mengs. Ismael Mengs (1688 bis 1764) ein Däne, war ausgezeichnet als Miniaturmaler und hielt auch seine ganze Familie, seinen Sohn Anton Raphael (1728—1779) und seine Töchter Julie und Therese zu dieser Kunstübung an. Raphael Mengs, der das Kunstleben des Kontinents ebenso nachhaltig beeinflußte, wie sein Zeitgenosse Reynolds das Englands, hat in Miniatur und Pastell Bedeutendes geleistet, Erfreulicheres vielleicht als in Öl und Fresken. Seine Schwester Therese Maron (1725—1806) war ebenfalls in dieser Technik ausgezeichnet. Sie war die Lehrerin von Maria Cosway und starb wie diese im Kloster. Anton Graff, der geistreiche Porträtmaler, der seinen Bildnissen inmitten einer verkünstelten Zeit so viel frische Natürlichkeit zu wahren wußte, malte in Miniatur so gut, wie Adam Friedrich Oeser. In

ihren Kreis gehört Doris Stock (1761—1815), die Tante
Theodor Körners. Das Bildchen von Goethes berühmter
Freundin (S. 127) zeigt die vielbesprochene Frau auf der
Höhe ihres Lebens und in der Fülle der Locken, wie die

Abb. 109. Mme. de Mirbel, Mlles. de Pourtalès

Mode sie erheischte. Keine Dame braucht ihr diese köstliche Chevelure zu neiden, in solcher Fülle und so geschickt angewachsen existiert kein natürliches Haar. Die
Flut der Locken, die man in dieser Zeit auf den Porträts
bewundert, waren Perücken. Man machte auch gar kein
Hehl daraus und trug z. B. vormittags eine andere Haar-
farbe als abends, oder wechselte die Farbe derselben pas-
send zur Toilette. Daraus erklärt sich auch, daß es so
manche Porträts jener Zeit gibt, welche die gleiche Dame
immer mit anderen Haaren zeigen, Königin Louise z. B.
rotblond, aschblond, dunkelblond. Charlotte von Schardt,
geboren 1742, heiratete 1761 den Oberstallmeister von Stein,

wurde 1793 Witwe und starb erst 1827. Die Tragik im Leben dieser Frau, der ein Goethe zehn Jahre lang zu eigen gehörte, beruht wohl weniger auf seinem Verlust, als auf dem schmerzlichen Zwange diesen Verlust vierzig Jahre lang in nächster Nachbarschaft des einst Geliebten überleben zu müssen. Das hat sie im Alter so bitter und so boshaft gemacht und ihre Zunge gegen ihn und seine Angehörigen geschärft.

All die genannten Künstler waren tüchtige Miniaturisten, aber von einer eigentlichen Blüte dieser Kunst läßt sich erst am Ende des achtzehnten Jahrhunderts sprechen, ihr Schauplatz war Wien. Für den Hof waren schon immer Miniaturmaler tätig gewesen, ein solcher hat z. B. das nette kleine Bildchen Kaiser Josephs II. gemalt (S. 128), das in ein Schmuckstück von vergoldetem Silber mit einer Umrahmung von Smaragden und Rubinen gefaßt ist. Der Kaiser, 1741 geboren, ist noch in jugendlichem Alter dargestellt, noch voll der stürmischen Ideen, mit denen er seine Untertanen beglücken wollte. Als er 49 Jahre alt 1790 starb, war er ein gebrochener unzufriedener Mann, der sich selbst sagen mußte, daß er nichts von alledem durchgesetzt hatte, was er hatte erreichen wollen; er hatte eben, wie Friedrich der Große von ihm sagte, stets den zweiten Schritt vor dem ersten getan. Nicht Liotard, der sich lange in Wien aufhielt, und sich der größten Gunst der Kaiserin Maria Theresia erfreute, hat die große Zeit der Wiener und damit der deutschen Miniaturkunst heraufgeführt, sondern der Schwabe Heinrich Friedrich Füger. 1754 in Heilbronn geboren, lernte er anfangs bei Nicolas Guibal in Ludwigsburg, dann bei Oeser in Leipzig. Mit dem englischen Gesandten in Dresden Sir Robert Murray Keith besuchte er Wien, wo er sich 1774 niederließ. Mit einem Stipendium, das ihm Fürst Kaunitz verschafft hatte, ging er zu weiterer Ausbildung nach Italien, wurde zurückgekehrt 1783 Vizedirektor, 1795 Direktor der Akademie, erhielt 1806 die Direktion der Kaiserlichen Gemäldegalerie und starb 1818. Füger steht als Miniaturmaler in Deutschland ganz einzig da. Er ist von Vorgängern und Nachfolgern nicht übertroffen, kaum erreicht worden, ja Leisching hat vollkommen recht, wenn er in einer Besprechung der Miniatur „Kavalier in

Abb. 110. Millet, Lady Hargreaves

braunem Rock" (Tafel 18) sagt: „Unter den Zeitgenossen auch in England und Frankreich ist keiner, der imstande gewesen wäre, mehr zu leisten." Die malerische Empfindung, die Füger besitzt, zeichnet ihn ebensowohl vor Cosway wie vor Hall aus. Vor diesen beiden größten seiner Zeitgenossen hat er auch die Gabe individualistischer Auffassung voraus. Die Strenge, mit der Füger charakterisiert, hat seine Miniaturen vor der Uniformität bewahrt, die den Werken von Cosway so schadet. 1798 mußte Füger, weil seine Augen versagten, das Malen von Miniaturen aufgeben. Er hat sich dann dem großen klassizistischen Historienbilde hingegeben, wie es seit David Mode war, aber wenn er auch noch viele Quadratmeter Leinwand

— 117 —

bemalte, seine Miniaturen hat er nicht erreicht, er blieb,
wie man oft gesagt hat: groß im Kleinen, klein im Großen.
Der Hof und die Aristokratie haben ihn stark in Anspruch genommen und in ihrem Auftrage hat er seine
glänzendsten Leistungen vollbracht. Prinzessin Wilhelmine
Louise (Tafel 19) war die erste der vier Frauen des spä-

Abb. 111. Cranach d. Ä., Kardinal Albrecht v. Brandenburg

teren Kaiser Franz I. Sie war eine Tochter des Herzogs
Friedrich Eugen von Württemberg und wurde 1767 geboren.
Im Jahre 1788 vermählt, starb sie schon 1790 im Wochenbett, nur einige Tage vor Kaiser Joseph II. Erzherzogin
Marie Clementine (S. 129) geboren 1777, vermählte sich 1797
mit dem damaligen Kronprinzen, späteren König Franz I.
von Sizilien. Sie starb schon 1801. Die Erzherzogin Marie
Christine (S. 130) war eine Tochter Kaiser Franz I. und
der Kaiserin Maria Theresia. 1742 geboren, heiratete sie
1766 den Herzog Albert von Sachsen-Teschen. Sie war
Statthalterin der Niederlande und lebte, nachdem diese
Erblande des habsburgischen Hauses der Monarchie ver-

— 118 —

loren gegangen waren, mit ihrem Gatten in Wien. Caroline Pichler rühmt ihr in ihren Denkwürdigkeiten „edle Formen, geistvollen Ausdruck und wohlgewählten Anzug" nach, das letztere in ausgesprochenem Gegensatz zu der Erzherzogin Marie Louise, der damaligen Braut Napoleons. Die Erzherzogin starb 1798, ihr Mann überlebte sie bis 1822.

Abb. 112. Bruyn, Unbekannte Dame

Er war bei der kaiserlichen Familie sehr beliebt und ist als Schöpfer der Albertina, der berühmten Kunstsammlung, noch heute unvergessen. Erzherzog Joseph Anton Johann (S. 131) war Palatin von Ungarn und in erster Ehe mit einer russischen Großfürstin vermählt, das einzige Mal, daß die katholischen Lothringer und die griechisch-katholischen Holstein-Gottorps sich miteinander verbanden. Er starb 1847, ein Jahr vor dem großen Aufstand in Ungarn. Am meisten bekannt wurde in den letzten Jahren das Bild der drei Komtessen Thun (S. 132), an das Laban seine Untersuchungen über Füger anknüpfte und dadurch auf die Bedeutung der Miniaturen dieses Künstlers hinwies. Das Bildchen ist 1788

— 119 —

gemalt worden und stellt die drei Töchter des Grafen
Thun-Hohenstein-Klösterle dar, eines Mannes, der mit ganzer
Seele der mystischen Richtung zuneigte, wie sie in der
zweiten Hälfte des achtzehnten Jahrhunderts als Reaktion
gegen Skeptizismus und Rationalismus aufgekommen war.
Er war ein Schwärmer, Rosenkreuzer, Anhänger Meßmers,
der damals in Wien die blinde Therese von Paradeis sehend
machen wollte und verrichtete ähnliche Wunderkuren wie
sein Meister. Die Töchter, die hier vor einem Altar
„Sacré à l'amitié" knien, waren berühmte Schönheiten
der Wiener Aristokratie und machten alle drei glänzende
Partien. Die Älteste, Elisabeth, geboren 1764, vermählte
sich 1788 mit dem Grafen Andreas Kyrillowitsch Razumowski,
einem russischen Diplomaten, der nacheinander Gesandter
in Kopenhagen, Stockholm, Neapel und Wien war, die
längste Zeit seines Lebens aber in Wien zubrachte, wo
er sich auf der Landstraße einen herrlichen Palast erbaute.
Man nannte ihn in der Gesellschaft seiner zahllosen Aben-
teuer wegen nur den russischen Lovelace. Die Gräfin
war nicht eben glücklich mit ihm, denn während sie ihn
leidenschaftlich liebte, achtete er sie nur. Graf Roger
de Damas schmachtete zu ihren Füßen und hat in seinen
Memoiren die sechswöchentliche Reise beschrieben, die er
im Herbst 1806 von Palermo nach Triest mitten durch
die feindlichen Flotten, welche die Adria okkupierten,
machte, um die schwerkranke Freundin nach Wien zu
begleiten. Sie starb am 23. Dezember 1806. Die zweite
Schwester Christine, geboren 1765, vermählte sich 1788
mit dem Fürsten Carl Lichnowski und wurde durch ihren
Sohn die Großmutter des Fürsten Felix, der 1849 in Frankfurt ermordet wurde. Sie scheint eine sehr wunderliche
Heilige gewesen zu sein, wenigstens berichtet Lulu Thürheim allerlei merkwürdige Züge von ihr. „So hatte sie
Gewissenskrupel darüber", schreibt Gräfin Thürheim, „sich
durch ihre Kälte ihren Gatten entfremdet zu haben, sie
liebte ihn nicht, aber sie verfolgte ihn nun mit ihren
Avancen derart, daß sie ihn sogar eines Tages in ein
Freudenhaus lockte, wo er zu seiner großen Entrüstung
seine Frau erkannte. Trotzdem hat die arme Frau niemals ihren Gatten betrogen, was dieser ihr übrigens ohne

UNBEKANNTE VORNEHME DAMEN

v. Boehn, Miniaturen u S., Tafel 16

Groll vergeben haben würde; als zynischer Wüstling und schamloser Feigling hätte er das Hörneraufsetzen wohl verdient." Dieser Frau hat Beethoven mehrere seiner Werke gewidmet. Sie starb 1841. Die jüngste Schwester Marie Caroline, geboren 1769, heiratete 1793 Richard Clanwilliam, der später Lord Guilford of Guillhall wurde und starb bereits im Jahre 1800. Ihre Kinder, zumal Richard „mit den schönsten braunen Augen" spielen in den amüsanten Erinnerungen der Gräfin

Abb. 113. Unbekannt, Max Emanuel, Kurfürst von Bayern

Thürheim eine große Rolle. Gräfin Marie Therese Pergen (Tafel 20) wurde 1763 geboren, ehelichte 1781 den Grafen Merveldt und starb 1802.

Wie leider so häufig, ist von so vielen Miniaturen Fügers nicht bekannt, wen sie darstellen. Das ist um so mehr zu bedauern, als seine Unbekannten, es sei nun der Herr mit dem Briefe in der Hand (S. 134) oder die Damen stets so ausgeprägt individuelle Züge tragen, daß man wohl wissen möchte, wen man vor sich hat. Die Unbekannte mit dem klassisch schönen Profil (S. 133) fesselt durch Anmut, die Halbfigur der Dame in großer Toilette (Tafel 21) durch ihre kränkliche Melancholie. Der Anzug der letzteren gehört dem Ende der achtziger Jahre des Jahrhunderts an. Die große Krause und die Puffärmel sollen ihm etwas Rittermäßiges geben. Es war die Zeit, in der Benedikte Naubert, Spieß u. a. die Ritterromane

— 121 —

8a

und Ritterschauspiele en vogue brachten, in der man im Mittelalter der Ritterzeit den großen Heroismus und die starknervige Tugend suchte. Füger hat auch mehrere Herren der österreichischen Aristokratie mit den Attributen gemalt, die dazumal die Ritterzeit charakterisierten, vor allem der großen Halskrause des sechzehnten und siebzehnten Jahrhunderts, z. B. den Grafen Bellegarde, Graf Esterhazy, Feldmarschall Laudon u. a. Die Schauspielerin Bethmann brachte 1793 diese großen Halskrausen als Ritterkragen in die Berliner Mode, ein Jahrzehnt später wurden sie in Paris als Chérusses Staatsputz bei der Krönung Napoleons und Josephines. Ob der Mann im roten Rock (Tafel 22) mit Recht Graf Platon Subow genannt wird, oder ob er nicht mit mehr Ursache Fürst Jussopoff genannt werden müßte, ist nicht mit Gewißheit zu bestimmen. Eine gewisse Ähnlichkeit zwischen dem Fügerschen Bilde und einem Porträts Subows, das von Lampi gemalt und von James Walker gestochen wurde, läßt immerhin an Identität mit Subow denken. Er war der letzte der vielen Günstlinge Katharinas II. und von ihr um so mehr geliebt und geschätzt, als er außer den der Kaiserin wesentlichen körperlichen Vorzügen auch noch Gaben des Geistes besaß, die bei ihren Favoriten zu finden die Monarchin durchaus nicht gewöhnt war.

Zu den Künstlern, deren Arbeiten mit denen Fügers parallel laufen, gehört in Wien J. Grassi (1757—1838). Das Bildchen der Frau Henriette Pereira-Arnstein (Tafel 23), das von oder nach ihm gemalt wurde, stellt eine Dame vor, die jahrelang in der Wiener Finanzgesellschaft eine große Rolle spielte. Sie war die Tochter des Nathan Adam Arnstein, der 1795 geadelt und 1798 in den Freiherrnstand erhoben wurde und der Fanny Itzig, einer Tochter des Berliner Bankiers Daniel Itzig. Henriette, in Berlin auf die Welt gekommen, heiratete 1802 in Wien Heinrich Pereira, den ihr Vater adoptierte. Reich, schön und geistvoll, machte sie ein großes Haus und versammelte während des Wiener Kongresses die Diplomaten aller Länder in ihrem Salon. In den Tagebüchern von Friedrich von Gentz, den Briefen, die Staegemann vom Kongreß nach Hause schrieb, begegnet man ihrem Namen auf beinahe

— 122 —

UNBEKANNTE ERZHERZOGINNEN
AUS DEM HAUSE HABSBURG

jeder Seite. Auch Caroline Pichler gedenkt ihrer mit herzlicher Wärme, sie war außerordentlich wohltätig und starb hochbetagt, 79 Jahre alt, 1859 in Wien.

Unter der Generation, welche auf Füger gefolgt ist, glänzen noch zwei Namen von bestem Klang, Daffinger und Waldmüller. Moritz Michael Daffinger (1790—1849), ein Wiener Kind, betätigte sich schon im jugendlichen Alter als Maler an der Porzellanfabrik, die sich gerade damals in ihrer Blüteperiode befand. 1809 begann er in Miniatur zu malen und benützte den Aufenthalt, den Thomas Lawrence 1819 in Wien nahm, dazu, um diesem gefeiertsten aller Porträtisten seine Technik abzusehen. Er ist der Maler der spezifischen Wiener Anmut geworden, die weniger ätherisch und schwärmerisch als die damaligen Französinnen und Engländerinnen, ihren Reiz durch den stark sinnlichen Einschuß erhält, der ihr innewohnt. Ein schöner Mann, aber ein Raunzer, scheint der Maler nicht sehr liebenswürdiger Natur gewesen zu sein. „Malen, schimpfen, alles besser wissen und unzufrieden sein, darin bestehen die Lebensfreuden dieses Menschen", notiert der Schauspieler Costenoble einmal über Daffinger in seinem Tagebuch. Er starb an der Cholera. Grillparzer setzte ihm die Grabschrift: „Im Menschenantlitz und in der Blumenwelt suchte er einzig die Natur und er fand sie, aber in ihrem Brautschmuck als Kunst." Wie Füger die vornehme Gesellschaft des Josephinischen Österreich, so malte Daffinger die des Vormärz, die Ära Metternich von der Sonnenseite betrachtet. Es waren die besten Tage des Österreich von Anno dazumal, als der Po noch ein österreichischer Strom war und die Politik der Welt am Ballhausplatz in Wien gemacht wurde. Eine tragische Gestalt dieser Periode ist der Herzog von Reichstadt (S. 141). In der Wiege schon König von Rom und Majestät, gerät das dreijährige Kind, man darf wohl sagen in die Gefangenschaft seines Großvaters, der dem Enkel nicht einmal einen würdigen Titel und ein würdiges Prädikat gönnt. 1817 hat er ihn zum Herzog von Mödling ernannt und diesen Titel ein Jahr darauf wenigstens mit dem weniger skurrilen eines Herzogs von Reichstadt vertauscht. Von der Majestät sank der Knabe zur Durchlaucht herab, eine kleinliche Rache, an einem Wehrlosen ausgeübt,

die Franz I. ganz würdig war. Der junge Adler verschmachtete in seinem Käfig. Mehr als rührend, geradezu erschütternd sind die Schilderungen, die Prokesch - Osten, Lulu Thürheim und andere, die ihm nahe kommen durften, von der Persönlichkeit des Jünglings machten, auf dem ein so gewaltiges Schicksal ruhte. Der Sohn eines der größten Männer, welche die Geschichte kennt, auf den bei seiner Geburt ein Reich wartete, das halb Europa umfaßte, verzehrt seine Seele in österreichischem Kommißdienst und stirbt, weil er sich bei der Leichenparade irgend eines subalternen Menschen tödlich erkälten muß! Im Kaiserschlosse Maria Theresias in Schönbrunn, von wo aus sein Vater 1809 dem besiegten Kaiserstaate seine Gesetze diktiert hatte, ist er 1832 dahingegangen, in demselben Zimmer und in demselben Bett, das Napoleon benutzt hatte. Gräfin Crescenz Szechényi (S. 143) war die Tochter des Grafen Karl August Seilern und der Maximiliane Gräfin Wurmbrand. Mit zwanzig Jahren wurde sie 1819 die zweite Frau des Grafen Karl Zichy, der in erster Ehe mit Julie Gräfin Festetics vermählt gewesen war. Diese war während des Kongresses wegen ihrer großen Ähnlichkeit mit der Königin Louise von Friedrich Wilhelm III. angeschwärmt worden und als „la beauté céleste" in der Gesellschaft gefeiert. Gräfin Crescenz heiratete in zweiter Ehe 1836 den Grafen Stephan Szechényi und starb 1875. Gräfin Sidonie Potocka (S. 145) war die Enkelin des durch seinen Geist berühmten

— 124 —

Prinzen de Ligne. 21 Jahre alt heiratete sie 1807 den Grafen Franz Potocki und wurde dadurch auch die Schwiegertochter ihrer eigenen Mutter, denn diese, Helene Apollonia Prinzessin Massalska hatte 1791 in zweiter Ehe den Vater des Grafen Franz, den Grafen Vincenz Potocki geheiratet. „Wir liebten Sidonie Ligne nicht, obwohl sie Esprit hatte," bemerkt Lulu Thürheim, „aber sie war

Abb. 115. Denner, Alte Frau

mokant und schlimm." Das Kostüm, in dem Daffinger die Gräfin gemalt hat, ist charakteristisch für die Mode vom Anfang der dreißiger Jahre. Man liebte damals die Überladung mit Putz. Man trug Juwelen auf der Stirn, über den in Locken gesteckten Haaren eine Haube und über dieser noch einen Hut, alles so mit Federn, Bändern, Blumen, Schleifen, Agraffen bepackt, wie nur immer Platz fand. Jedenfalls wird der phantastische Turban aus rot und schwarz gestreiftem Seidenstoff mit seinen gewaltigen Federn dem Blondhaar der Gräfin gut gekleidet haben. Gräfin Sophie Narischkin (S. 146), die Daffinger als Kind porträtiert hat, heiratete den Grafen Schuwaloff, sie wurde geboren 1829 und starb 1894. Gräfin Nandine Karolyi (Tafel 24) war eine geborene Gräfin Kaunitz-Rietberg und starb 1862 im Alter von 57 Jahren. Ein bedauernswertes Opfer der Staatsräson war die Kaiserin Marianne (Tafel 25), deren Bild Emanuel Peter (1799—1873) nach einer Vorlage von Daffinger gemalt hat. Sie war eine Tochter des Königs Viktor Emanuel I. von Sardinien und wurde 28 Jahre

— 125 —

alt 1831 an den späteren Kaiser Ferdinand vermählt. Im-
bezillität schützt nicht vor dem Thron, sonst hätte der be-
dauernswerte Mann (in Süddeutschland nennt man solche
Leute Depp oder Trottel), der nicht das bescheidenste
bürgerliche Gewerbe hätte ausüben können, wohl nicht
den Thron bestiegen. Man könnte Bände mit Aufzählung
all der Bétisen füllen, die der Kaiser geäußert hat, oder
die ihm die verschwenderische Laune zuschrieb. An seiner
Seite vertrauerte die Kaiserin ihr zweckloses Leben, sie
hätte schon durch diese bemitleidenswerte Existenz die Selig-
sprechung verdient, die bereits in Rom im Werke war.
Sie ist erst 1884 gestorben.

Mit Daffinger rivalisierte in der Gunst der Gesellschaft
der beinahe gleichaltrige Ferdinand Georg Waldmüller
(1793—1865), wie Daffinger ein Wiener Kind. Er war
weniger ausschließlich Miniaturmaler als Daffinger, schloß
sich aber wie dieser an die Manier von Thomas Lawrence an.
Er gehörte zu den Künstlern, die in den Akademien ein
Übel und einen Nachteil für die Kunst sehen, er hat 1846
eine Schrift gegen den akademischen Unterricht veröffentlicht. Das Familienbild einer Unbekannten mit ihren zwei
Kindern (Tafel 26) besitzt alle Vorzüge seiner liebenswürdigen und erfreulichen Art, die drei Personen sind
charakteristisch erfaßt, gut in den Raum gebracht und in
feiner Harmonie der Farbe zusammengeschlossen. Neben
Daffinger und Waldmüller wirkten noch zahlreiche andere
Miniaturisten, die sich gelegentlich in einzelnen ihrer Leistungen auf das gleiche hohe Niveau erheben, wie diese
Meister. Da ist der Hofmaler Bernhard von Guerard († 1836)
und unter anderen Kreizinger, der die Kaiserin Marie
Louise (S. 151) gemalt hat. Marie Louise war erst neun-
zehn Jahre alt, als sie mit Napoleon vermählt wurde. Sie
war die Tochter des Kaiser Franz I. und eine Enkelin
der Königin Karoline von Neapel, der bittersten und un-
versöhnlichsten Feindin Napoleons. Sie war ohne Grazie,
ohne Anmut und ohne Geschmack. Unter den Damen, die
sich doch auf Toilette verstehen, wie Caroline Pichler,
war nur eine Stimme über den geschmacklosen Anzug,
in dem die junge Erzherzogin sich öffentlich zeigte. Als
sie nach der Übergabe an ihr neues französisches Gefolge

in Braunau die von demselben mitgebrachte Pariser Toilette
angelegt hatte, schien sie eine ganz andere, äußert Gräfin
Thürheim. Napoléon ließ seiner Frau als erstes Tanz-
stunden geben, damit sie lerne, sich zu halten und zu

Abb. 116. Stock, Frau von Stein

bewegen. Es ist bekannt, daß sie sich der Größe ihres
Mannes durchaus nicht würdig zeigte. Sie weilte während
des Kongresses in Wien und war sehr pikiert, daß sie
die großen Feste desselben nicht mitmachen sollte. Sie
hatte Napoleon kaum verlassen, als sie sich schon in den
Armen des Grafen Adam Albrecht von Neipperg tröstete.
Als dieser gestorben war, trat Graf Charles René de Bom-
belles in die Rechte eines Ehemannes zur Linken. Marie
Louise verschmähte aber auch die Huldigungen anderer
junger Männer nicht. Sie hat ihr kleines Herzogtum Parma
gut verwaltet und starb 1847 am Vorabend der Revolution.

— 127 —

In Wien arbeitete seit 1798 auch Karl Agricola, ein Badenser aus Säckingen. Er erhielt für seine mit Geschmack und Sorgfalt ausgeführten kleinen Kunstwerke 100 Dukaten und mehr. Das Bild der eigenen Familie (Tafel 27), in dem Agricola 1815 seine damals 64 Jahre alte Mutter, seine Frau Christine, eine geborene von Saar und seinen Jungen porträtiert hat, bezeichnet Franz Ritter als das Meisterstück des Künstlers. Es verrät Geschmack, Gefühl für Anmut und große Sorgfalt; es wurde ihm mit 300 Gulden bezahlt. Agricola starb 1852 in Wien, das ihm zur anderen Heimat geworden war.

In die nordischen Reiche wurde die Kunst der Miniaturmalerei wohl durch holländische und englische Besucher verpflanzt. Was sie da von Alexander Cooper und anderen Künstlern an Einflüssen empfangen haben mögen, das haben sie in Boit, Bruckmann, Hall, Lanfransen u. a. mit Zinseszinsen zurückgegeben. Zu den Ausländern, die an den nordischen Höfen tätig waren, gehört Jacob van Dort, ein Holländer, der dänischer Hofmaler wurde, viel in Kopenhagen und auch in Stockholm malte. Er erhielt in Dänemark für jedes seiner Bildchen 25 Reichstaler. Die Königin Anna Katharina von Dänemark (Tafel 28) war eine Tochter des Kurfürsten Joachim Friedrich von Brandenburg und vermählte sich 1597 im Alter von 22 Jahren mit König Christian IV., dem dänischen Nationalhelden. 1598 gekrönt, starb sie 1612 im Schlosse zu Kopenhagen. Der Sohn, den sie auf diesem ein Jahr vor ihrem Tode entstandenen Bildchen zur Seite hat, ist der damals achtjährige Prinz Christian. Er wurde von den dänischen Ständen 1608 zum Thronfolger gewählt, starb aber ein Jahr vor seinem Vater 1647 im

Abb. 117. Unbekannt, Anhenker

FÜGER, KAVALIER IN BRAUNEM ROCK

FÜGER, PRINZESSIN ELISABETH WILHELMINE LUISE

v. Boehn, Miniaturen u. S., Tafel 19

Schlosse Körbitz bei Dresden. An seiner Stelle bestieg
sein Bruder Friedrich III. den Thron Dänemarks, das er
aus einem Wahlreich zu einer Erbmonarchie machte. Ein
Holländer wie van Dort war auch Toussaint Gelton, der

Abb. 118. Füger, Erzherzogin Marie Klementine

Hofmaler Christians V. von Dänemark wurde. Das vornehme kleine Mädchen (Tafel 29), mit dem King Charles
und den Inseparables trägt eine merkwürdige, von der Zeitmode des siebzehnten Jahrhunderts abweichende Tracht,
vielleicht eine holländische oder dänische Landestracht.
Einer der frühesten dänischen Miniaturmaler ist Adermann,
ein Künstler, dem es an Originalität gefehlt zu haben scheint.
Das Bild des Admirals Gyldenlöwe (Tafel 30) ist wenigstens
die ganz genaue Kopie einer anderen Miniatur, in der Hiller
den Prinzen Karl von Dänemark nach einem Gemälde
Rigauds porträtierte. Adermann hat sich damit begnügt,
die Züge etwas zu ändern und den Hintergrund mit kleinen
Schiffen zu füllen. Ulrich Christian Gyldenlöwe (1678—1719)
war ein Sohn König Christian V. und der Sophie Amalie

v. B., M. u. S.   — 129 —   9

Moth und infolge seiner hohen Abstammung hinlänglich qualifiziert, Generaladmiral von Dänemark zu werden. Jorge Gylding war von Haus aus Porzellanmaler und wurde als Hofmaler in Dänemark mit einem Jahresgehalt

Abb. 119. Füger, Erzherzogin Maria Christine und Herzog
Albert von Sachsen-Teschen

von 300 Reichstalern angestellt. Er starb um 1765. Seine Verbindung mit dem Porzellan legte es ihm wohl ganz besonders nahe, ein Bild des Monarchen zu malen, der damals die berühmteste Manufaktur Europas besaß, des Kurfürsten Friedrich August II. von Sachsen, der als König von Polen August III. hieß (Tafel 31). Als König ohne Macht und darauf angewiesen, die Schimäre der polnischen Krone mit guten sächsischen Talern zu überzahlen, fand er als Kurfürst in Friedrich dem Großen einen Gegner, dem er nicht gewachsen war; die dreißig Jahre, die er Sachsen von 1733—1763 regierte, gehören zu den trübsten in dessen Geschichte. W. A. Müller, der in der zweiten

Hälfte des achtzehnten Jahrhunderts als Miniaturist in Kopenhagen tätig war, hat den Maler Professor Pederals (Tafel 32) porträtiert und den Bildhauer Wiedewelt (Tafel 33). Johann Wiedewelt, Sohn und Schüler von Just Wiedewelt,

Abb. 120. Füger, Erzherzog Joseph

besuchte das Atelier Coustous in Paris und kam im Spätherbst 1754 nach Rom, um sich von der Antike die unerläßlichen künstlerischen Inspirationen zu holen. Hier wurde er ein Freund Winckelmanns, mit dem er sechs Monate in der größten Intimität zusammenlebte. Nach Kopenhagen zurückgekehrt, wurde er Direktor der Kunstakademie und von König Friedrich V. mit den Skulpturen betraut, die den Fredensborger Schloßpark schmücken. Eine Zeitlang der Stolz seiner Landsleute, erlebte Wiedewelt das schmerzliche Schicksal von dem aufsteigenden Gestirn eines Jüngeren, Thorwaldsen, völlig in den Schatten gestellt zu werden. Künstlerisch unbefriedigt, krank, mittellos und alt verzichtete er auf das Leben und suchte und

fand am 21. Dezember 1802 den Tod in den Fluten des
Peblinger Sees. — C. Hoyer, ein dänischer Miniaturist
der zweiten Hälfte des achtzehnten Jahrhunderts, hat die
Königin Marie Sophie Friederike (Tafel 34) gemalt. Sie
war die Tochter des Landgrafen Karl von Hessen und
heiratete 1790 im Alter von 23 Jahren den Prinzen Friedrich,
der als Friedrich VI. Dänemark von 1808—1839 regierte.
Er gehörte zu den Monarchen, die sich 1814 in Wien zum
Kongresse versammelten und war wegen seiner Gutmütig-
keit allgemein beliebt. In seinen politischen Aspirationen
war er weniger erfolgreich, so daß er dem Kaiser Alexander
von Rußland, der ihm beim Abschied das Kompliment machte:
„Majestät nehmen alle Herzen mit", sauersüß antworten

— 132 —

GRÄFIN MERVELDT

konnte: „Aber keine Seele." Die Königin überlebte ihren
Gatten noch bis 1852.

Christian Hornemann (1765—1844) ein Kopenhagener,
empfing seine Ausbildung in Deutschland wo er von 1787

Abb. 122. Füger, Unbekannte

bis 1803 teils in Dresden, teils in Berlin lebte. Er hat u. a.
Friedrich Wilhelm III. und die Königin Louise gemalt.
1804 ging er nach Dänemark zurück, wo er Hofmaler wurde.
Sein Selbstbildnis (Tafel 35) dürfte um die Zeit seiner Über-
siedlung nach Kopenhagen entstanden sein. Christian VIII.
1786—1848 (Tafel 36), der Sohn des Erbprinzen Friedrich
und der Prinzessin Sophie Friederike von Mecklenburg-
Schwerin, wurde 1813 von den Norwegern zu ihrem Könige
gewählt, eine Wahl, welche die auf dem Wiener Kongreß
versammelten Monarchen und Diplomaten nicht bestätigten,
sondern vorzogen, Norwegen mit Schweden zu verbinden,
weil sie nicht zusammenpaßten. Er folgte Friedrich VI.
im Jahre 1839 und regierte bis 1848. Im Jahre 1806 hatte

— 133 —

er sich mit der Prinzessin Charlotte von Mecklenburg-
Schwerin vermählt, eine Ehe, die 1809 geschieden wurde,
weil man die Prinzessin mit einem französischen Musikus

Abb. 123. Füger, Porträt eines unbekannten Herrn

Edouard Dupuis in flagranti ertappt hatte. Die temperament-
volle Frau lebte dann in Jütland in der Verbannung,
ging später auf Reisen und starb 1840 in einem Kloster
in Rom. Auf dem kleinen Friedhof der Deutschen, über
dessen dichtes Immergrün der Schatten St. Peters fällt,
ruht sie von ihren Irrfahrten aus, unter einem Marmor-
denkmal, das ihr Sohn ihr gesetzt hat.

— 134 —

FÜGER, UNBEKANNTE DAME

v. Boehn, Miniaturen u. S., Tafel 21

FÜGER, GRAF PLATON SUBOW (?)

v. Boehn, Miniaturen u. S., Tafel 22

GRASSI, HENRIETTE FREIIN VON PEREIRA-ARNSTEIN

v. Boehn, Miniaturen u. S., Tafel 23

DIE MINIATUR
UND IHRE VERWENDUNG

Schmuck.

Die Miniatur fand in alter Zeit die mannigfaltigste Verwendung. Während das Kleinporträt von heute, die Photographie eigentlich nur zum Zimmerschmuck (?) dient und nur noch selten und dann nur von kleinen Leuten als Schmuckstück, meist als Brosche verwandt wird, war die Miniatur in Schmuck- und Ziergerät der Vergangenheit außerordentlich verbreitet. Im Anfang des sechzehnten Jahrhunderts trugen die Herren an Hüten und Kappen kostbare Juwelen. Im K. Hofmuseum in Wien befinden sich goldene Hutmedaillen mit dem in Email gemalten Miniaturbildnis Kaiser Karl V. von spanischer Arbeit aus dem Jahre 1520. Schon vor der Einführung der Miniaturmalerei war es Gewohnheit der Fürsten, besondere Dienste dadurch zu belohnen, daß sie als Auszeichnung Goldketten mit ihrem Bildnis verliehen. Von diesem Gebrauche sind die Amtsketten der Bürgermeister und anderer bürgerlicher Würdenträger bis in unsere Tage als eine Erinnerung zurückgeblieben. Derartige Geschenke, die man auf alten Porträts so oft dargestellt sieht, hatten vor den Orden der Gegenwart den großen Geldwert voraus, sie waren auch als Geld- und Ehrengeschenk zugleich gedacht. Die Bildnisse waren zumeist goldene Schaumünzen, erst im sechzehnten Jahrhundert kommt es auf, an ihrer Stelle Miniaturen zu verschenken. So erhielt 1558 Sir Francis Walsingham nach dem Untergange der Armada ein köstliches Juwel von der Königin Elisabeth von England. Es ist noch vorhanden und besteht aus einem Medaillon, das auf der Vorderseite das Reliefporträt der Königin in Gold zeigt, rückwärts sieht man eine emaillierte Darstellung der untergegangenen spanischen Flotte, innen aber ein in Guasch ausgeführtes Miniaturbild der Monarchin von der Hand des Nicholas Hilliard. Jacob I. verehrte dem Thomas Lyte of Lytes Cary, Sommerset, der einen

— 137 —

Abb. 124. Deutsche Miniatur, Damenbildnis

Stammbaum des Königs entworfen hatte, ein ähnlich kostbares Schmuckstück, das sich heute im Waddesdon bequest Lord Rothschilds im British Museum befindet. Es besteht aus einem emaillierten, mit Perlen und Edelsteinen besetzten Medaillon, dessen hervorragend schöne Arbeit Williamson dem berühmten Juwelier Daniel Mignot zuschreibt. Es enthält innen ein Miniaturbrustbild Jacobs, gemalt von Isaac Oliver. Königin Christine von Schweden, die schrullige Tochter Gustav Adolphs, schenkte 1650 dem General Niclaes Desmel eine Goldkette im Werte von 284 Talern und daran ihr Porträt in Miniatur, für das Alexander Cooper neun Dukaten erhalten hatte. Als sie abdankte, begabte sie den französischen Gesandten mit einer Goldkette für 198 Kronen und anhängendem Medaillonporträt für 390 Taler. Regierende Fürsten haben an dem Gebrauche, ihr Bildnis als Auszeichnung zum Tragen zu verschenken, bis weit in die eigentliche Zeit der Orden festgehalten. Friedrich der Große hat für solche Geschenke bedeutende Summen geopfert, Ephraim und Söhne liefern ihm 1745 nach Breslau ein Porträt mit Brillanten besetzt für 4400 Taler, dieselbe Firma 1763 ein ähnliches für 3000 Taler. Witwe Reclam und Sohn erhält 1754 für ein Bildnis des Königs, gekrönt und umgeben von Brillanten, 3600 Taler. Feldmarschall Lehwald trägt z. B. auf einem Bilde, das von ihm im Berliner Schlosse hängt, ein in Diamanten gefaßtes Bildnis

— 138 —

Friedrichs des Großen (S.170), das möglicherweise von Chodowiecki herrührt; die Oberhofmeisterin der Königin Louise,
Gräfin Voß, hat auf ihrem Bilde im Hohenzollern-Museum
das Porträt Friedrich Wilhelm III. in Diamanten am Orangeband des Schwarzen Adlers um den Hals. Marschall Berthier
erhielt 1810 in Wien das Miniaturporträt Kaiser Franz II.
an der Collane des Vliesordens, das mit seinen Brillanten
150 000 Frs. gekostet hatte und immerhin 96 000 Frs. wert
war. Als Revanche gab Napoleon dem österreichischen
Gesandten Grafen Metternich sein Bildnis in einem Medaillon für 150 000 Frs. Diese Liste ließe sich bedeutend
verlängern, zumal mit russischen Würdenträgern aus dem
Ende des achtzehnten und dem Anfang des neunzehnten
Jahrhunderts. So sah Graf de la Garde auf dem Wiener
Kongresse die Gräfin Protassoff, die unter Katharina II.
die Aufgabe gehabt hatte, junge Männer, die der Kaiserin
gefielen, auf ihre Leistungsfähigkeit zu prüfen, behängt
mit diamantgefaßten Porträts. Katharina hatte Gregor Orlow
ihr Bild in herzförmigem Medaillon geschickt, mit der Erlaubnis, es im Knopfloch zu tragen. Als Wassilschikof der
Nachfolger in der Gunst der Kaiserin wurde, forderte sie
dies Zeichen der Liebe zurück; Orlow sandte ihr Medaillon
und Diamanten und behielt das Bild. Die Palastdamen der
Kaiserin Katharina trugen als Zeichen ihres Ranges das
Miniaturporträt ihrer Herrin an der Brust. Der Sultan von
Zanzibar verlieh noch vor einigen Jahrzehnten Kaiser
Wilhelm I. sein brillantenbesetztes Porträt an breitem Moiréebande anstatt eines Ordens.

Aber auch als reines Schmuckstück findet sich das
Medaillon mit Miniaturbildnis schon in dem sechzehnten
Jahrhundert. Die Jeffery Whitehead Collection besitzt
eine Miniatur Maria Stuarts von der Hand des Nicholas
Hilliard in gleichzeitiger Diamantfassung, ein Juwel, dessen
Affektionswert noch durch eine eingeschlossene Locke
der unglücklichen Königin erhöht wird. Ein Bildnis ihres
Sohnes Jacob I., ebenfalls von Nicholas Hilliard gemalt
und noch in der ursprünglichen Diamantfassung, erzielte
in der Versteigerung der Sammlungen des Herzogs von
Hamilton £ 2855 (also über 57000 Mark). Bei der Vermählung König Karls IX. von Frankreich mit Erzherzogin

— 139 —

Elisabeth im Jahre 1570 schenkte der Bräutigam der Familie der Braut ein herrliches Kleinod, das sich heute im K. Hofmuseum in Wien befindet. Es ist ein ovales Medaillon von Gold, dessen vorderer Deckel in Reliefemail die Fides und Justitia zeigt, welche die auf zwei Säulen ruhende Krone bekränzen. Die Rückseite weist zwei verschlungene C unter der Krone, von einem Blumenkranz umgeben. Innen befinden sich die auf Pergament gemalten Brustbilder Karls IX. und seiner Mutter Catharina von Medici aus der Schule der Clouet. Schloß Rosenborg in Kopenhagen ist ganz besonders reich an Miniaturporträts aus der Zeit Alexander Coopers, viele davon in Goldmedaillons, die in Email mit Sinnbildern, Namenszügen und den damals so überaus beliebten Devisen verziert sind. Für die mit dem Dauphin verlobte Marie Antoinette malte Peter Adolph Hall das Bildnis des Bräutigams. Seine Arbeit wurde mit 2664 Fr. bezahlt, die Diamantfassung dazu kostete 78678 Fr. M. V. Costa hat die Königin in Miniatur gemalt mit diesem Bildnis ihres Mannes als Brustschmuck. Von dem Medaillon für 175000 Fr., welches Napoleon seiner Braut überreichen ließ, war schon die Rede. Als Marie Louise am 16. März 1810 in Braunau ihr bisheriges österreichisches Gefolge entließ, verschenkte sie unter anderem als Andenken drei Medaillons mit dem Porträt ihres Gatten, jedes zu 7000—8000 Fr. Das Kaiserpaar hielt im November 1810 in Fontainebleau 25 Kinder über die Taufe. Jeder Täufling erhielt als Patengeschenk ein Medaillon mit den Miniaturbildnissen der hohen Paten und ihrem Namenszug in Brillanten; die 25 Medaillons hatten zusammen 135000 Fr. gekostet. Unter dem Kaiserreich wurde es förmlich Mode, ganze Kolliers aus kleinen Miniaturen zusammenzustellen. So malte Isabey eine Serie achteckiger kleiner Bildnisse für einen Halsschmuck der Königin Karoline Murat von Neapel und eine ganz ähnliche Folge von sämtlichen Bildnissen der kaiserlichen Familie für ein Kollier der Kaiserin Marie Louise. Ein anderes Collier der Kaiserin zeigte die Miniaturen aller österreichischen Erzherzoginnen. Der Genfer Philippe Soiron, der um diese Zeit in Paris tätig war, stellte ein solches Halsband für die Herzogin von Montebello zusammen. Es enthielt als Hauptstück die fünf Emailminiaturen der

herzoglichen Kinder, alle mit Engelsflügeln, eine süßlich
affektierte Mode, die Andrew Plimer aufgebracht hatte, als
er sein Töchterlein Selina als Cherub malte. Marie Louise
ließ den König von Rom in dieser Weise malen und schenkte

Abb. 125. Daffinger, Der Herzog von Reichstadt

diese Miniatur, in ein Armband gefaßt, ihrer Schwester.
Auf der Miniaturenausstellung in Mannheim 1909 war ein
ganzer Schmuck zu sehen, bestehend aus Armband, Brosche
und Ohrringen, die mit Emailporträts verziert waren;
er war 1813 ein Hochzeitsgeschenk für eine Frau von Renz,
geb. von Stockhausen.

Die Mode des Medaillontragens hatte zwei Seiten. Frau
von Motteville erzählt in ihren Erinnerungen, daß ein Miniaturbildnis der Herzogin von Orléans, welches der verliebte

— 141 —

Graf Guiche um den Hals trug, ihm in einer Schlacht das Leben rettete, indem eine feindliche Kugel, die ihn sonst getötet hätte, sich daran glatt schlug. Goethe läßt im Wilhelm Meister seinen Helden der geliebten Gräfin den Tod dadurch zuziehen, daß er bei einer stürmischen Umarmung das Bildnismedaillon des Gatten, das sie an der Brust trägt, ihr so heftig in den Busen preßt, daß sie ein schweres Leiden davonträgt.

Für Armbänder waren Miniaturen als Mittelstücke sehr beliebt. Im sechzehnten und in der ersten Hälfte des siebzehnten Jahrhunderts trugen auch Herren Armbänder, nicht nur junge Laffen, sondern auch alte würdige Männer, wie z. B. der berühmte Sully auf die seinigen sehr stolz war. Die Miniaturen, die er am schwedischen Hofe für Armbänder malte, wurden Alexander Cooper 1653 mit 40 Talern das Stück bezahlt. Späterhin, als man den Brillantschliff der Diamanten kennen gelernt hatte, wurden die Armbänder kostspieliger. Der Graf von Provence, als König Ludwig XVIII. ließ sich von Hall porträtieren und diese Miniatur mit 16 Diamanten in ein Bracelet fassen, das ihm 15552 Fr. kostete. Einer der letzten Luxusaufträge des alten Hofes war wohl die Bestellung, die Graf Montmorin am 18. März 1789 bei dem Juwelier Solle machte, er sollte zwei Armbänder mit Miniaturen des Königs und der Königin in Diamanten gefaßt zum Preise von 9000 Fr. das Stück liefern. Sie waren zu einem Geschenk bestimmt, vielleicht das letzte im alten großartigen Stil. Die Epoche der Empfindsamkeit brachte den Schmuck aus Haaren auf. Welch süße Wollust, die Haare einer geliebten Person als Schmuck zu tragen und sich ihrer dabei fühlend zu erinnern! Selbst Napoléon I. opferte dieser Mode und trug auf St. Helena eine Uhrkette, die aus den Haaren Marie Louisens geflochten war. In Mannheim war s. Z. ein Armband ausgestellt, das aus Haaren geflochten war und in Goldfassung das Miniaturbildchen der Gräfin Caroline Ysenburg geb. Gräfin Bentheim enthielt. Am längsten erhielt sich die Verwendung von Miniaturen in den Brillantschlössern von Armbändern aus echten Perlen, wir erinnern nur an manche Jugendbilder der Kaiserin Elisabeth von Österreich.

Die Kleinmalerei ist eine Kunst, die zu Kunststücken

— 142 —

der Feinmalerei förmlich herausfordert. Lemberger erwähnt den Miniaturisten Niclas Prugger, der auf Kupferplättchen von Groschengröße sieben Brustbilder der bayerischen Kurfürstin Maria Anna malte. So dauerte es denn nicht lange

Abb. 126. Daffinger, Gräfin Széchényi-Seilern

und man begann Miniaturporträts auch in Ringen zu tragen. Das österreichische Hofmuseum in Wien besitzt sehr interessante Ringe aus dem Nachlaß der habsburgischen Kaiser. Da ist ein Fingerring von Gold mit Email verziert, in dem drehbaren Mittelstück, welches das Wappen von Österreich und Burgund zeigt, sind die winzigen Miniaturporträts des Kaisers Matthias (1557—1619) und seiner Gemahlin der Kaiserin Anna (1585—1618). Ein anderer solcher Ring von Gold mit weißem Email zeigt unter Kristall das Miniaturporträt der Kaiserin Claudia Felicitas (1653—1676). Carl I. von England besaß einen Ring mit einem Medaillon, das innen sein Bildnis, außen einen Totenkopf und das Monogramm C. R. in Email zeigte. Er schenkte ihn vor seinem

— 143 —

Tode dem Colonel Yates. Dieses interessante Stück wurde 1877 in London versteigert und erzielte einen Preis von nur £ 63 (Mark 1260). Einen anderen Ring mit seinem Bildnis schenkte Carl I. einige Jahre vor seinem Tode Sir Edmond Verney, einem seiner Adjutanten; bei diesem Ring war die Miniatur nicht durch einen Deckel, sondern durch einen Kristall geschützt. Gern legte man bei Porträtringen die Miniatur unter einen tafelförmig geschliffenen Diamanten. 1719 erhielt die Herzogin von Brissac einen Ring mit beweglichem Chaton, auf jeder Seite befand sich das Bild einer der Töchter des Königs, gemalt von Drouais und gefaßt von Le Guay. Der Miniaturist Cazaubon malte 1762 die Bildnisse von Madame Adelaide de France mit ihren Schwestern Madame Sophie und Madame Louise für den Chaton eines Ringes, er verlangte für die mühevolle Arbeit 1500 Fr. 1773 schrieb Marie Antoinette ihrer Mutter, sie trage die Bildnisse ihrer Brüder in einem Ringe. Als Prinz Heinrich von Preußen 1771 in St. Petersburg war, schenkte ihm die Kaiserin Katharina ihr Bild in einem Ringe mit einem Brillanten bedeckt. Die Blarenberghe waren besonders berühmt für die Feinmalerei. Einer von ihnen führte für den Marquis de Menars einen Ring aus mit der Ansicht des Schlosses Menars; Noël malte vier Marinen als eine Folge der vier Tageszeiten. Alle vier waren im Chaton eines Ringes untergebracht, der sich öffnen ließ. Die Baronin du Montet sah bei der Marquise de Laage eine künstliche Rose, die Marie Antoinette einst der Prinzeß Lamballe geschenkt hatte. In ihrem Kelch war ein Miniaturporträt der Königin verborgen. 1765 hat Chodowiecki in vier Monaten 20 Diminutivporträts des Prinzen Heinrich von Preußen gemalt, die für Ringe und Berlocken bestimmt waren, er erhielt dafür 411 Taler. Im persönlichen Nachlasse Friedrichs des Großen fanden sich vier derartige Ringe mit Bildnissen. Der König hat sie auch gern zu Geschenken verwendet, so zahlte er 1743 an den bekannten Gotzkowsky für einen Ring mit Brillanten und seinem Porträt 1300 Taler, 1746 für zwei Ringe mit Porträts 950 Taler, 1744 an Ephraim und Söhne für einen Brillantring mit Porträt 550 Taler.

Ungefähr um 1770 begann in Paris die Mode, die Fracks der Herren mit großen Knöpfen zu besetzen, und da die-

— 144 —

selben rasch größer und immer größer wurden, so ging man
dazu über, ihre Flächen zu bemalen. Am 18. November 1786
schreibt Bachaumont in seinen geheimen Denkwürdigkeiten:
„Es gibt keine Mode, welche nicht dank des Leichtsinns,

Abb. 127. Daffinger, Gräfin Sidonie Potocka

der Oberflächlichkeit und der Wut unserer eleganten Herren,
alles zu übertreiben, sofort in Extravaganzen ausartet. So
hat man jetzt die Knopfmanie bis zur äußersten Lächerlich-
keit getrieben, man trägt sie nicht nur von ganz ungewöhnlicher Größe vom Umfang der Sechsfrankstücke, sondern
man wählt Miniaturen, ganze Bilder dafür, so daß es Garnituren zu fabelhaften Preisen gibt. Da gibt es einen Satz
Knöpfe, welche die Medaillen der zwölf ersten römischen
Kaiser vorstellen, andere reproduzieren antike Statuen oder
die Metamorphosen Ovids. Man hat im Palais Royal einen
Unverschämten gesehen, welcher auf seinen Knöpfen die

Posturen Aretins trug, so daß die anständigen Damen, die
sich ihm näherten, nicht wußten, wo sie hinsehen sollten".
So malte Fragonard eine Garnitur mit Watteau-Szenen.
Eine junge Dame beschenkte ihren Bräutigam mit einer
Serie von Knöpfen, welche die bekanntesten Gemälde von
Greuze darstellten. Manche der berühmtesten Miniaturmaler

Abb. 128. Daffinger, Gräfin Sofie Nariskin

haben mit derartigen Arbeiten für die Industrie der Mode
ihre Karriere begonnen, von Hall, den Blarenberghe, Dumont
u. a. ist es bekannt, daß sie Knöpfe gemalt haben. Dumont
erhielt für den Knopf zwei bis drei Franken, aber es gab Garnituren von zwölf Knöpfen, die tausend Franken und mehr
kosteten. Isabey hat seine Karriere mit dem Malen von
Knöpfen begonnen, er erzählt selbst, wie er Liebesgötter,
Blumen, Landschaften und andere Vorwürfe auf Knöpfen
ausführte, die ihm Stück für Stück mit 12 Sols bezahlt wurden.
Auf Liebesszenen und Landschaften folgten Blumenstücke,
imitierte Kameen, Embleme, Insekten und Gott weiß was noch.

— 146 —

DAFFINGER, GRÄFIN KÁROLPI-KAUNITZ IM REITKLEID

v. Boehn, Miniaturen u. S., Tafel 24

193

1788 war man bei den Architekturstücken angelangt und trug die merkwürdigsten Bauwerke Frankreichs auf seinen Knöpfen, die Garnitur zu 36 Fr. Während der Revolution drängten die patriotischen Knöpfe alle anderen Darstellungen zurück, die Einnahme der Bastille, die Köpfe von Necker, Marat, Lepelletier de St. Fargeau und anderer populärer Größen traten an die Stelle der Phantasiegegenstände. Lamartine hat sogar behauptet, man habe das Bild der Guillotine auf Knöpfe gemalt, aber wie Maze-Sencier nachweist, ist das eine Erfindung des Dichters.

Als Schmuckstück dürfen wir wohl auch die Rosenkränze betrachten, deren Kreuze, häufig in Silberfiligran ausgeführt, den Kruzifixus in Emailmalerei zeigen. Die K. Geistl. Schatzkammer in Wien besitzt einen Rosenkranz des 17. Jahrhunderts mit zehn Perlen von Bergkristall, in welchen Bilder von Heiligen und Passionsszenen in Pallionmalerei eingeschlossen sind.

Am häufigsten wurde die Miniatur mit Dosen verbunden. Man hatte im sechzehnten Jahrhundert und noch später flache Büchsen von Holz oder Metall, welche zum Schutz der großen hängenden Siegel dienten, wie sie an den Urkunden und Dokumenten befestigt waren. Diese Büchsen wurden auch zum Behältnis von Miniaturen benutzt, so gibt es z. B. Bildnisse Heinrich VIII., die Holbein zugeschrieben werden, in gedrehten Elfenbeinbüchschen, die vorn und hinten die Rose der Tudors als Ornament tragen. Zuweilen findet man Porträtminiaturen auch in Schraubtalern, seit der Mitte des siebzehnten Jahrhunderts bürgert sich dann die Dose ein. Fürstliche Personen schenkten Gesandten, Diplomaten, der Hofdienerschaft u. a. goldene Dosen mit ihrem Bildnis. Es war ein Geldgeschenk in feinerer Form, der Wert derselben wechselte mit der Bedeutung der Persönlichkeit, die man auszeichnen oder verpflichten wollte. König Karl X. Gustav, der Nachfolger Christinens auf dem schwedischen Thron, verschenkte z. B. 1656 drei mit Diamanten besetzte goldene Dosen, jede mit seinem von Alexander Cooper gemalten Miniaturbildnis. Eine im Werte von 500 Talern war dem englischen General Fleetwood bestimmt, eine andere für 700 Taler gelangte an Gustav Bielke, schwedischen Gesandten in Rußland, die dritte, die der dänische

Gesandte General Willem Drakenshelm empfing, hatte 3600 Taler gekostet. In dem so überaus praktischen England erwartete der Überbringer so kostbarer Gaben ein entsprechendes Gegengeschenk, so erhielt der sächsische Gesandte von Bose 1699 seine Porträtdose erst, nachdem er 60 £ als douceur für sie hergegeben hatte. Das höfische Geschenk einer Dose mit Bild wird unter Ludwig XIV. geradezu eine Staatseinrichtung. Maze-Sencier, der im Interesse der Sammler die französischen Archive durchforschte und in seinen fleißig gearbeiteten Büchern ein gewaltiges Material von Daten, Zahlen und Nachweisen aller Art zusammenbrachte, hat auch dafür die Beweise gesammelt. Die Bildnisdosen Ludwig XIV. waren keine Tabatièren, denn sie enthielten das Porträt des Königs auf der Innenseite des Deckels, sie dienten nur als Behälter für das Bild; ihr Goldgewicht und die Edelsteine der Fassung stellten das Geldgeschenk dar, das der König machen wollte. Bei diesen Geschenken sind die Franzosen am schlechtesten weggekommen; während keiner von ihnen eine Dose erhielt, die mehr Wert gewesen wäre als 2400 Fr., empfingen die auswärtigen Diplomaten wiederholt solche, die ein kleines Vermögen repräsentierten. 1668 erhielt Fürst Dietrichstein, Kaiserlicher Gesandter, eine Dose für 8440 Fr., 1672 der Herzog von Buckingham eine ebensolche für 28000 Fr. Die Herzogin von York, Gattin des späteren Königs Jakob II., empfing 1673 eine Dose im Werte von 33000 Fr., wie überhaupt in den Jahren, in denen Ludwig XIV. England auf seine Seite hinüberzuziehen trachtete, die englischen Herren stets besonders bevorzugt werden. In den Listen figurieren z. B. der englische Gesandte 1678 mit einer Dose für 11315 Fr.; 1679 Graf Sunderland mit einer solchen für 14183 Fr.; in demselben Jahr Graf Oxford eine für 12288 Fr.; 1690 Graf Tyrconnel eine Porträtdose mit 48 Brillanten für 21218 Fr. In der gleichen Zeit werden die Gesandten minder wichtiger Staaten auch mit sehr viel bescheideneren Gaben abgefunden. Herr von Bernstorff, der dänische Gesandte, bekommt 1683 eine Porträtdose für 4628 Fr.; Freiherr von Schönborn, der Gesandte von Kurmainz, 1698 eine für 6436 Fr.; Freiherr von Schulenburg, Gesandter von Braunschweig-Wolfenbüttel, eine solche für 4218 Fr. Graf Sinzendorf, der Kaiserliche Gesandte, dem Liselotte eine so üble Nachrede gemacht hat, muß sich 1701 ebenfalls mit einer für 4860 Fr. begnügen, während Kardinal Ottoboni 1703 eine mit Diamanten besetzte Porträtdose im Werte von 24677 Fr. erhält. Die Bildnisse dieser Dosen, Miniaturen in Malerei oder Email, stammen von Bruckmann, Perrault, Petitot, Chatillon und Ferrand, die Juwelierarbeit lieferte bis 1676 Pitan, von da an bis zum Tode des Königs Pierre le Tessier de Montarsy. Ludwig XIV. verabscheute den Tabak und wenn das Rauchen auch für bessere Leute wohl gar nicht in Frage kam, so war doch das Schnupfen allgemein verbreitet und hatte sich der offen ausgesprochenen Abneigung des Königs zum Trotz auch am Hofe in Versailles eingebürgert. Die Herzogin von Orléans schreibt einmal, es wäre greulich, all die Damen mit den schmutzigen Nasen zu sehen, sie stänken nach Tabak. Nach des Sonnenkönigs Tode weicht die Bildnisdose mit dem auf der Innenseite angebrachten Porträt der richtigen Schnupftabaksdose, die das Bildnis auf der Außenseite des Deckels trägt. Die Verwendung als Geschenk bleibt natürlich die gleiche und ebenso schwankt auch der Wert derselben je nach der Wichtigkeit der beschenkten Person. Der Regent läßt 1719 eine herrliche Dose mit Porträt und 53 Brillanten, die auf 31000 Fr. geschätzt wird, an den Abbé Dubois zu einem Geschenk an einen geheimnisvollen Unbekannten L. C. A. abgehen. 1720 verzeichnen die Register der Geschenke des Königs aber eine Tabatière von märchenhaftem Wert, Marquis Scotti, der Gesandte von Parma, empfängt eine Dose mit dem Bilde des jungen Monarchen, von Massé gemalt, in einer Fassung von 42 Brillanten und 15 Rosen im Werte von 129852 Fr. „Ihr werdet niemals ihresgleichen sehen", fügt Maze-Sencier dieser Nachricht hinzu. Der Regent war mit Staatsgeschenken überhaupt nicht sparsam, 1720 beschenkt er Lord Stairs, den englischen Gesandten, mit einer Tabatière, die das von Massé gemalte Miniaturbildnis Ludwig XV. in einen Kranz von 53 Brillanten faßt, im Werte von 49805 Fr. Als 1721 die Herzogin von Montellano die spanische Infantin Maria Anna Viktoria nach Paris geleitete, wo die kleine Prinzessin bis zu ihrer Heirat mit dem jungen König erzogen werden sollte, erhielt sie eine mit Diamanten besetzte Dose für 35225 Fr. Einige Jahre darauf schickte man die Infantin wieder nach Haus und vermählte Ludwig XV. mit Maria Lesczynska.

Unter Ludwig XV. geht der Wert der Tabatièren mit dem königlichen Bildnis wieder auf ein bescheidenes Maß zurück. Die Bürgerlichen kommen dabei am schlechtesten weg. So empfing der pfalzgräfliche Gesandte Sibenius 1742 eine Dose für nur 1800 Fr., während der dänische Gesandte Baron Vrindt in demselben Jahre eine solche für 5078 Fr. erhält. 1747 gab man dem Stallmeister Friedrichs des Großen, von Schwerin, eine Dose für 6709 Fr. und eine genau ebensolche dem württembergischen Gesandten Freiherrn von Keller. Auch die Dosen, die 1753 Freiherr von Wrede, 1757 Graf Reventlow, 1758 Fürst Galitzin, 1763 Graf Dietrichstein empfangen, bewegen sich im Werte zwischen 6000 und 8000 Fr. 1757 sandte Maria Theresia den Fürsten Lobkowitz an den französischen Hof, um anzuzeigen, daß die Österreicher die Preußen vor Breslau geschlagen hätten, dafür wurde der Gesandte mit einer Dose belohnt, die 18317 Fr. gekostet hatte, die Miniatur rührte von Le Brun her, die Juwelierarbeit von Ducrollay. Bei außergewöhnlichen Gelegenheiten überschreitet der Wert der königlichen Tabaksdosen den Durchschnitt, der um 10000 Fr. herum liegt. So erhält 1762 Graf Tschernitscheff, russischer Gesandter, eine Tabatière für 13526 Fr.; 1768 Marquis de Mello eine andere für 26578 Fr.; der Herzog von Bedford eine für 34289 Fr. und Graf Viri, sardinischer Gesandter, gar eine für 56258 Fr.

Im Jahre 1752 hat sich der merkwürdige Fall ereignet, daß die Dosen von denen, die sie erhalten sollten, zurückgewiesen wurden. Dem Bürgermeister Friesen von Zürich und dem Statthalter des Kantons Zürich, Füßli, die ein Regiment Schweizer für den französischen Militärdienst vermittelt hatten, waren jedem eine Dose für 2000 Fr. zugedacht, sie nahmen sie aber nicht an, aus welchen Gründen, wird nicht gesagt. Daß Dosen von solcher Kostbarkeit nicht zum Gebrauch bestimmt sein konnten, leuchtet ohne weiteres ein, sie stellten eben ein Geldgeschenk dar, das man aus Gründen des Zartgefühls nicht in bar geben wollte. Daß dies Verhältnis auch so aufgefaßt wurde, erhellt aus verschiedenen Vorkommnissen. 1755 hatte Graf Bellegarde, außerordentlicher Gesandter des Königs von Polen, eine Tabatière mit Bildnis

WALDMÜLLER, FAMILIENBILD

für 8000 Fr. bekommen. Seine Tochter gab sie nach dem Tode ihres Vaters zurück und erhielt den vollen Wert. 1770 sollte der dänische Gesandte Baron Gleichen eine Dose empfangen, er zog es aber vor, 15000 Fr. in bar zu nehmen und

Abb. 129. Kreizinger, Kaiserin Marie Louise

bat sich als feiner Hofmann nur aus, das Bildnis des Königs, eine Miniatur von Welper, behalten zu dürfen. Im gleichen Jahr zog auch der Nuntius 16000 Fr. in bar dem Empfang einer Dose vor und die von den beiden Herren zurückgewiesene bekam und behielt endlich erst der englische Gesandte Walpole. Sehr drollig ist es dem sardinischen Gesandten Grafen Viri gegangen. Er erhielt 1775 bei Gelegenheit der Hochzeit von Madame Clotilde de France mit dem Prinzen

— 151 —

von Piemont eine Dose, die dem französischen Hof 29 940 Fr. gekostet hatte. Er gab sie sofort für 25500 Fr. an den Juwelier Solle zurück und erhielt zwei Jahre später, als er von seinem Posten abgerufen wurde, die gleiche Dose zum zweiten Mal als Geschenk. Er gab sie auch das zweite Mal dem Juwelier zurück. Schließlich erhielt sie der Marquis Caraccioli, Gesandter des Königs von Neapel im Jahre 1781.

Die Künstler, welche unter Ludwig XV. die meisten Miniaturbildnisse für Dosen lieferten, waren Massé, Le Brun, Vincent, Penel, Charlier, Cazaubon u. a., neben ihnen die Emailleure Liotard, Rouquet, Durand und Bourgoing. Die Juwelierarbeiten der Fassung stammten von Solle, Jacqmin, Demay, Rondé und anderen Goldschmieden.

Unter der Regierung Ludwig XVI. nimmt die Ausstattung der Tabatièren mit Brillanten große Dimensionen an. Der Nuntius Fürst Pamphili, der 1782 zur Taufe des Dauphin nach Paris gekommen war, empfing eine Dose mit dem Bildnis des Königs von Sicardi, besetzt mit 173 Brillanten, für 29 000 Fr. Der englische Gesandte Fitzherbert erhielt 1783 eine ähnliche mit 240 Brillanten im Werte von 21 585 Fr., im gleichen Jahre der Herzog von Manchester eine solche mit 325 Brillanten für 31 453 Fr. Dagegen nehmen sich die Geschenke an die Gesandten der deutschen Kleinstaaten bescheidener aus. Graf Loos, kursächsischer Gesandter, nimmt eine Dose für 12 340 Fr. mit fort. Der Kaiserliche Gesandte Graf Mercy-Argenteau empfängt 1780 eine solche im Werte von 9632 Fr. Baron Schönfeld, ebenfalls sächsischer Gesandter, erhält 1785 eine Dose mit 456 Brillanten für 17 510 Fr. Mit einer der geringsten Dosen wurde 1778 der Kanonikus von Guaita abgespeist, der im Auftrag des Domkapitels in Aachen der Königin einige Reliquien überbrachte, die ihr wohl zu einer glücklichen Entbindung helfen sollten. Er empfing als Dank eine Tabatière mit 50 Brillanten und dem Bildnis des Königs von Pasquier für 3440 Fr. Auch unter Ludwig XVI. blieb die Rückgabe dieser kostbaren Geschenke in Übung. Fürst Bariatinski, Gesandter Katharinas II. von Rußland, gab die Dose, die er 1783 erhielt und die dem Tresor 24 816 Fr. gekostet hatte, sofort für 24 360 Fr. zurück. Ebenso machte es der Fürst zwei Jahre später, als man ihm zum Abschied eine Tabatière mit 428 Brillanten überreichte. Dieses Mal

AGRICOLA, MUTTER UND FRAU DES KÜNSTLERS

v. Boehn, Miniaturen u. S., Tafel 27

behielt er sich wenigstens das Bild des Königs, bekam aber trotzdem auf die Dose, die 24140 Fr. gekostet hatte, 24000 Fr. bar heraus. Interessant durch die Persönlichkeit des Beschenkten ist die Tabatière, welche Benjamin Franklin, Gesandter der Vereinigten Staaten, am 7. Juni 1785 empfing. Sie enthielt ein Porträt des Königs von Sicardi, umgeben von 421 Brillanten und wurde auf 16103 Fr. bewertet. Die Künstler, welche unter Ludwig XVI. die Porträts lieferten, waren meist I. D. Welper und Sicardi, die Juwelierarbeit stammte fast immer von Solle.

Der völlig allgemein gewordene Gebrauch des Schnupftabaks, dem Herren und Damen, Erwachsene und Kinder huldigten, führte in einer notwendigen Folge zum Luxus in den Dosen, die das so beliebte Genußmittel bargen. Nach Madame de Genlis wäre der Kriegsminister Louvois der erste gewesen, der sich einer kostbaren Dose von altem chinesischem Lack bedient hätte, Herr de la Popelinière soll dann zuerst die Porträtdosen dadurch zu richtigen Tabaksdosen umgewandelt haben, daß er das Bildnis auf der Außenseite anbringen ließ. Die Tabatière wurde im achtzehnten Jahrhundert rasch ein Objekt des Luxus und der Verschwendung. Einmal fertigte man sie aus den kostbarsten und seltensten Materialien: Gold und Silber, Elfenbein, Perlmutter, Halbedelsteinen, Marmor, Porzellan, Lack, dann aber warf sich die Leidenschaft der Sammler auf diesen gefälligen Gegenstand. Prinz Conti soll 800 Tabatièren besessen haben, die Dosen des sächsischen Ministers Grafen Brühl bezifferten sich nach Hunderten, denn er benutzte jeden Tag wie einen anderen Anzug auch einen anderen Stock und eine andere Dose. „Es gibt nichts Reicheres als dieses Kabinett", schreibt Graf Lehndorff 1756 in sein Tagebuch, nachdem er die Sammlung der Brühlschen Dosen besichtigt hat. Diese Leidenschaft war auch so ziemlich die einzige, die Friedrich der Große sich gestattete. Er bestritt seinen ganzen Haushalt mit 22000 Talern, eine Bagatelle, wenn man berücksichtigt, wieviel die Hofhaltungen seiner gekrönten Zeitgenossen verschlangen und gab für Gegenstände des Luxus nur für seine Tabatièren größere Summen aus. Thiébault sagt in seinen Erinnerungen an einen zwanzigjährigen Aufenthalt am Berliner Hofe, indem er von Friedrich II.

spricht: „Ich habe an ihm nur einen einzigen Gegenstand des Luxus gekannt, die Tabatière. Er besaß davon, so erzählte man, 1500 Stück, darunter eine große Anzahl von hervorragender Schönheit. Er schnupfte übrigens nur spanischen Tabak." Nicolai, Zeitgenosse des Monarchen, bezifferte die Zahl der königlichen Dosen nur auf 300 Stück und schätzt sie alle zusammen auf 1750000 Taler, einzelne derselben allerdings sollen zwischen 2000 und 10000 Talern gekostet haben. Im Nachlaß des Königs fanden sich 120 mit Brillanten besetzte Dosen, über 7 derselben, jede auf 10000 Taler geschätzt, hatte Friedrich in seinem Testament namentlich verfügt. Der König hatte eine besondere Vorliebe für den schlesischen Chrysopras, einen schmutziggrünen undurchsichtigen Stein, den er in prächtiger Brillantfassung zu Dosen verarbeiten ließ. Daneben besaß er aber zahlreiche Dosen mit Porträts, so werden besonders aufgeführt eine Bernsteindose mit brillantenbesetztem Porträt, eine Dose von Schildkrot mit zwei Porträts u. a. Aus dem Nachlasse des Königs besitzt das Hohenzollern-Museum noch einen Dosendeckel, auf dem in vier Reihen 28 kleine Miniaturporträts der königlichen Familie nebeneinander angebracht sind (S. 171). Wie er sie selbst liebte und sammelte, so verwandte Friedrich auch Tabaksdosen mit seinem Bildnis zu Geschenken, Gotzkowski liefert ihm 1746 eine goldene Tabatière mit brillantengefaßtem Porträt für 600 Taler, 1748 eine solche für 430 Taler, 1751 eine einfachere für 120 Taler. 1753, als der Ansbachische Hof zum Besuch in Berlin ist, empfängt die Oberhofmeisterin desselben eine Porträtdose für 280 Taler. 1762 liefern die Brüder Jordan eine goldene Tabatière mit dem Bildnis in Brillanten, die 6500 Taler kostete. Seidel, der alle diese Notizen aus den Akten eruiert hat, konnte nicht ermitteln, für wen dieses kostbare Stück bestimmt war. War der König schlecht bei Kasse, so gab er wohl auch Dosen, dünn in Gold und ohne Steine, dann versüßte er die Gabe mit der Bemerkung: „Die Freundschaft erhöht den Wert."

Der Dosenluxus herrschte nicht nur in Frankreich. Maria Theresia beschenkte ihren Schwager, den Herzog Karl von Lothringen mit einer herrlichen Tabatière von Gold in grünem Email translucide. Auf dem Deckel die Chiffre Maria Theresias und des Kaisers Franz in Diamanten, daneben die

VAN DORT, KÖNIGIN ANNA KATHARINA VON DÄNEMARK
U. PRINZ CHRISTIAN

v. Boehn, Miniaturen u. S., Tafel 28

Miniaturbrustbilder der Erzherzoge Josef und Leopold, auf dem Boden der Dose das der Kaiserin als Witwe, rund herum acht kleine Miniaturen der übrigen kaiserlichen Kinder. Die Malerei stammt von der Hand des Antonio Pencini, die Goldschmiedearbeit von Franz von Mackh. Nach dem Tode des Herzogs erhielt die Dose Fürst Kaunitz, heute ist sie im Wiener Hofmuseum.

Als Gustav III. von Schweden 1777 die Kaiserin Katharina in Petersburg besucht hatte und sich im Juli dieses Jahres anschickte, wieder abzureisen, beschenkten beide Monarchen ihr Gefolge mit den herrlichsten und kostbarsten Bildnisdosen; Melchior Grimm kann sie in seiner Korrespondenz nicht genug rühmen. Der höfische Gebrauch des Geschenks kostbarer Dosen hatte sich als etwas so Selbstverständliches eingebürgert, daß der spätere Marschall Castellane, den Napoleon 1809 an seine Brüder schickte, es mit höchstem Unmut in seinem Journal vermerkt, daß sowohl König Jérôme in Kassel wie König Ludwig im Haag ihn abreisen lassen, ohne ihm eine Dose zu schenken.

Wenn auch der Arme schnupfen konnte, so war er doch nicht imstande, sich dazu kostbarer Dosen zu bedienen, er mußte sich wohl oder übel mit einfacheren Stücken begnügen, als die vornehmen und reichen Sammler. Hier setzte die Industrie ein und kam dem Bedürfnis mit billiger Ware entgegen. Fabrikmäßig wurden Dosen in Lack, in Email und anderem wohlfeilem Material hergestellt, die vielfach mit Miniaturen verziert worden sind. Gerade auf den billigen Dosen des achtzehnten Jahrhunderts spielen die Bilder des Deckels eine große Rolle. Um immer wieder den Wunsch nach dem Besitz neuer Dosen zu erwecken, wechseln die Fabrikanten mit den Darstellungen, wozu ihnen die Zeitereignisse genügend Veranlassung boten. In Deutschland spielt in der Mitte des Jahrhunderts Friedrich der Große wohl die Hauptrolle als Patron der Dosen. Nach Dutzenden zählen die Exemplare, die das Hohenzollern-Museum von den populären Emaildosen aus dieser Zeit bewahrt. Sie zeigen handwerksmäßig hergestellt das Bild des Königs und oft noch eine Darstellung aus seinem Leben oder seiner Legende, einen Schlachtplan, eine Situationsskizze, die Herolde des Hubertusburger Friedens oder dergleichen, und doch wird die Anzahl der Typen noch viel größer gewesen sein. Wie in Deutschland der Alte Fritz der volkstümliche Held wurde, so in Frankreich um diese Zeit Heinrich IV. Je ärger die Finanzmisère unter den Ludwigen wurde, je mehr die Zerrüttung der Staatsverwaltung zunahm, mit um so leidenschaftlicherer Liebe erinnerte man sich des ersten Bourbonen und suchte in seiner Regierungszeit das goldene Zeitalter. So taucht in Opposition zu Ludwig XV. das Bild seines Ahnen auf den Dosen auf, häufig begleitet von dem seines Finanzministers Sully. Die Pompadour glaubte dem Generalkontrolleur Laverdy kein feineres Kompliment machen zu können, als indem sie ihm eine Dose mit dem Miniaturbildnis Sullys überreichte: „Sehen Sie, Ihr wahres Porträt", sagte sie dabei. Als die Dubarry den Herzog von Choiseul gestürzt hatte, kamen Dosen in Mode, die auf der einen Seite das Bildnis des verbannten Ministers, auf der anderen jenes von Sully zeigten. Als Ludwig XVI. zur Regierung kam und man noch alles von ihm hoffte, erschienen Dosen mit den Bildchen Heinrich IV. und des neuen Königs nebeneinander. Dann werden die Dosenbilder immer deutlicher in ihren Anspielungen, die Freimaurerei verdrängt mit ihren Symbolen die Königsbilder, um selbst wieder von dem Sturm der Revolution hinweggefegt zu werden. Der Bastillesturm, die Erklärung der Menschenrechte, die Assignaten erscheinen und neben ihnen die Bildnisse all der Männer, die eine kurze Popularität erringen: Lafayette, Bailly, Mirabeau, Marat, Charlotte Corday u. a. Wie die Republikaner, so hatten auch die Royalisten Dosen mit Darstellungen, die ihrer Anschauungsweise entsprachen. Da war der Abschied der königlichen Familie vom 20. Januar 1793 und andere Szenen aus der Leidenszeit der königlichen Dulder. Da die Demonstrationen mit royalistischen Schnupftabaksdosen für die Besitzer gelegentlich ein schlimmes Ende nehmen konnten, so versteckte man die Bildnisse des Königs und der Königin, der Madame Elisabeth und der königlichen Kinder. Man sah z. B. eine Graburne umgeben von Trauerweiden und erkannte bei längerem Hinsehen in den Zweigen und dem Laubwerk die Züge der Mitglieder der königlichen Familie, eine Spielerei, die vor einigen Jahren als „Wo ist die Katz?" wieder einmal in Mode kam. Konsulat und Kaiserreich bringen dann Bonaparte mit seinen Angehöri-

GELTON, UNBEKANNTE PRINZESSIN

gen und Generälen und all die Etappen seiner schwindelnd schnellen Laufbahn.

Als Kaiser nahm Napoleon die Tradition des alten Hofes hinsichtlich der kostbaren Porträtdosen wieder auf. Wenn die Dosen, die er für Franzosen bestimmte, sich in der Preislage zwischen 2400 und 3000 Fr. bewegten, so wurde an den Dosen, die zu höfischen oder diplomatischen Geschenken dienten, nicht gespart. Marie Louise verteilte am 16. März 1810 in Braunau unter anderem fünf Dosen mit dem Bildnis ihres Gemahls, die zusammen 46000 Fr. gekostet hatten und eine, die auf 20274 Fr. geschätzt wurde. Der Herzog von Valmy, der bei der Taufe des Königs von Rom die Schleppe des Taufkleides trug, erhielt für diesen Dienst eine Dose für 20000 Fr. Graf Carl Clary, der 1810 eine Dose mit einer Miniatur von Saint erhalten hatte, die er zwar „sehr geschmeichelt aber doch ähnlich" fand, gab sie sofort dem Juwelier Nitot für 13200 Frs. zurück und machte für den Erlös eine Reise durch die Schweiz. Die Bestellungen von Dosen erfolgten bei den Juwelieren gleich zu Hunderten, 1807 wurden sie zu Preisen von 6000 bis 10000 Fr. in Auftrag gegeben. Die Maler, welche die Porträts des Kaisers für diese Tabatièren auszuführen hatten, waren Aubry, Augustin, Dumont, Gauci, Gilbert, Guérin, Isabey, Muneret, Robert Lefevre, Quaglia, Saint, Soiron u. a. Das Stück wurde ihnen mit 500 Fr. bezahlt, nur Isabey setzte es durch, daß er für die Miniatur 600 Fr. erhielt. Manche dieser Miniaturen täuschten in ihrer Ausführung Kameen aus Sardonyx, Agatonyx oder anderen Halbedelsteinen vor. Es ist schon oben darauf hingewiesen worden, daß der Kaiser mit den Leistungen seiner Porträtisten nicht sehr zufrieden war und Daru die Herren anweisen mußte, den Monarchen gefälligst schöner abzubilden. Die Juwelierarbeit lag meist in den Händen von Nitot & fils.

Napoleon schnupfte selbst nicht, er pflegte, wie Baron Meneval berichtet, nur den Geruch des Tabaks einzuatmen. Er bezahlte für das Pfund Tabak 3 Frs., nahm eine Prise zwischen zwei Finger, roch daran und ließ sie fallen. Diese Angewohnheit hat ihn davor bewahrt, das Opfer einer Vergiftung zu werden, die in Malmaison mit vergiftetem Schnupftabak gegen ihn geplant war. Der Kaiser

spielte gern mit der Dose in den Händen. Die Kammer-
herren vom Dienst ließen es sich angelegen sein, ihm
immer neue Schnupftabaksdosen in die Hände zu spielen;
wenn er die eine eingesteckt oder verlegt hatte, dann konnte
es allerdings passieren, wie las Cases erzählt, daß er in der
Zerstreuung wieder viel zu viel schnupfte. In den langen
Sitzungen des Staatsrates ließ er sich oft die Dosen der
Staatsräte bringen, spielte damit und vergaß sie schließlich zurückzugeben, so daß die Herren am Ende nur noch
Dosen zu 15 Sous mitbrachten. Der Kaiser besaß für
einen Nichtschnupfer zahlreiche Dosen und vermachte in
seinem Testament vom 15. April 1821 seinem Sohn gegen
40 Dosen, darunter solche mit den Miniaturporträts Peters
des Großen, Karls V., Turennes u. a. Tabatièren mit Porträts
waren damals noch beliebte Ehrengeschenke hoher Herren
an verdiente Männer, so sah man auf der Wiener Kongreß-
Ausstellung die Prunkdosen, die Wellington auf dem Kongresse erhalten. Die sechs Dosen, welche der Oberhof-
meister Fürst Trautmannsdorff damals empfangen hatte,
schätzt Baron Schönholz auf 40000 Gulden. Als das Schnupfen
unmodern wurde, kam auch der Gebrauch der Dosen als hö-
fischer oder diplomatischer Geschenke immer mehr ab. Moltke,
der 1858 den Prinzen Friedrich Wilhelm von Preußen zur Trau-
ung nach London begleitet hat, schreibt allerdings am 27. Januar seiner Frau, daß er zwei Stunden lang umhergefahren
sei, um sechs Brillantdosen zu 1500 und 2500 Taler zu verteilen.
Orden sind außerdem bedeutend billiger und einige Ellen
buntes Band um den Hals machen mehr von ihrem Träger her,
als die schönste und kostbarste Dose im Hosensack. Dosen wurden oder werden nur noch an Subalterne gegeben, für welche
die Gabe ein maskiertes Geldgeschenk bedeutet. Das Sam-
meln von Dosen hielt sich länger als der Gebrauch des
Schnupftabaks. Friedrich Wilhelm IV., der ebenfalls nicht
schnupfte, besaß eine hübsche Sammlung, die heute im Hohenzollern-Museum aufbewahrt wird. Aber es ist merkwürdig,
keine dieser Dosen enthält mehr Miniaturporträts, so als sei
mit dem eigentlichen Zweck der Dose auch die persönliche
Beziehung verloren gegangen. Auch in der Sammlung von
Dosen, die Fräulein von Uttenhoven dem Kunstgewerbemu-
seum in Berlin vermachte, befindet sich unter zahlreichen

ADERMANN, ADMIRAL ULRIK CHRISTIAN GYLDENLÖVE

kostbaren Stücken aller Materiale und Techniken keine Bildnisdose mehr.

Das achtzehnte Jahrhundert, in dem die Dose eine so große Rolle spielte, hat auch einen Orden von der Dose gekannt. Der Dichter Jacobi, der gefühlvolle Verfasser des Woldemar, stiftete den Lorenzo-Orden von der hörnernen Dose. In Sternes empfindsamer Reise, die eben großes Entzücken erregte, tauscht Yorick seine Schildpattdose gegen die Horndose des Franziskaners Lorenzo um, weil er einen groben Ausfall von Heftigkeit gegen den armen Mönch damit gutmachen will. Mit Bezug auf diesen, allen Schöngeistern bekannten Vorgang, war das Ordenszeichen eine Horndose, auf dem Deckel Pater Lorenzo, innen Yorick zeigend. Am 4. April 1769 schreibt Jacobi an Gleim: Sollte in unserer Gesellschaft sich einer durch Hitze überwältigen lassen, so hält ihm sein Freund die Dose vor und wir haben zuviel Gefühl, um dieser Erinnerung auch in der größten Heftigkeit zu widerstehen."

Wie alle Sitten und Gebräuche, die einst im Leben der höheren Stände eine Rolle spielten, mit der Zeit wieder daraus verschwinden, um sich dann und oft noch lange in den unteren Ständen zu halten (man kann das z. B. bei den Stammbüchern beobachten), so war es auch mit dem Schnupfen. Die gute Gesellschaft läßt das Schnupfen und gibt damit auch die Dose auf, in den Kreisen des Mittelstandes hält sich aber der Gebrauch des Schnupftabaks und mit ihm die Dose. Die billige Fabrikware produziert in den sogenannten Stobwasserdosen noch mindestens ein halbes Jahrhundert hindurch den Typ der populären Dose. Nach der Ermordung Kotzebues erscheint auf ihnen das Bildnis von Karl Ludwig Sand, man sieht Paganini mit seinen mephistophelischen Zügen und in den vierziger Jahren den neuen Luther, den Begründer des Deutschkatholizismus Ronge, manchmal auf der Rückseite begleitet vom Texte seines berühmten Briefes an den Bischof von Trier. Ebenso wie in Deutschland folgt auch in Frankreich die Industrie mit ihren Dosenbildern den Zeitereignissen auf dem Fuße und hat unter der Restauration, die jede Erinnerung an die so glorreiche Kaiserzeit mit dem kleinlichen und kindischen Hasse echten Polizeigeistes verfolgte, merkwürdige Erscheinungen in diesem Genre hervorgebracht.

Die Bonapartisten hatten Dosen, die im doppelten Boden des Deckels ein Bildnis des Kaisers vor den Blicken Unbefugter versteckten, andere, deren Form dem berühmten kleinen Hütchen nachgeahmt war. Nach dem Tode Napoleons erschien auf den Dosen seiner Anhänger die Grabstätte auf St. Helena. Die Liberalen kauften sich die Dosen des Fabrikanten Touquet, auf deren Deckel der Text der Charte abgedruckt war, andere zeigten die Bildnisse von Voltaire oder Rousseau, deren Werke in Opposition gegen die klerikal-feudalen Ultras wieder stark verbreitet wurden. Emile Marco de Saint-Hilaire schrieb 1827 über die politischen Schnupftabaksdosen: „Man sollte immer zwei Dosen mit doppeltem Deckel bei sich tragen, damit man stets etwas bei der Hand hat, womit man dem Geschmack der Personen schmeicheln kann, die man zufällig trifft, gleichgültig, welches ihre politische Meinung sei. Drei Seiten derselben müssen dem Parteigeist dienen. Die erste sei bekleidet mit der Charte, wie Mr. Touquet sie vor einigen Jahren so geistreich erdacht hat, diese Seite wird man zweifellos am häufigsten zeigen dürfen. Die andere Seite wird das Bildnis des Exkaisers enthalten, dieses Porträt ist ja jetzt nicht mehr verboten. Außerdem seid ohne Furcht, ich gestehe, er war ein Usurpator, aber er besaß doch manche gute Eigenschaft. Immerhin sind ihm Freunde geblieben, die an seinem Andenken hängen und ein Mann, der vorwärts kommen will, darf niemand vernachlässigen. Die dritte Seite sei der famosen Fahne geweiht, die einst Martainville und Genossen erhoben, die weiße Fahne mit der Inschrift: „Es lebe der König."

Die Dosen für die Aufbewahrung des Schnupftabaks waren nicht die einzigen Behälter, die man damals mit Miniaturen schmückte, die Anzahl der Büchsen, die elegante Damen und Herren notwendig gebrauchten, war weit größer. Unter ihnen gebührt der Bonbonnière wohl ein Hauptplatz. Diese Schachteln wurden durch das Material, aus dem sie angefertigt wurden, und durch die auf ihre Ausschmückung verwandte Kunst zu großen und wertvollen Kostbarkeiten. In Frankreich stand Paris oben an unter den Plätzen, an denen die geschmackvollsten Werke dieser Art verfertigt wurden, in Deutschland Augsburg, Nürnberg und Dresden, in Italien Neapel. Die Pariser Juweliere Hamelin, Maillé und Drais

GYLDING, AUGUST III., KÖNIG VON POLEN

selben rasch größer und immer größer wurden, so ging man
dazu über, ihre Flächen zu bemalen. Am 18. November 1786
schreibt Bachaumont in seinen geheimen Denkwürdigkeiten:
„Es gibt keine Mode, welche nicht dank des Leichtsinns,

Abb. 127. Daffinger, Gräfin Sidonie Potocka

der Oberflächlichkeit und der Wut unserer eleganten Herren,
alles zu übertreiben, sofort in Extravaganzen ausartet. So
hat man jetzt die Knopfmanie bis zur äußersten Lächerlich-
keit getrieben, man trägt sie nicht nur von ganz ungewöhnlicher Größe vom Umfang der Sechsfrankstücke, sondern
man wählt Miniaturen, ganze Bilder dafür, so daß es Garnituren zu fabelhaften Preisen gibt. Da gibt es einen Satz
Knöpfe, welche die Medaillen der zwölf ersten römischen
Kaiser vorstellen, andere reproduzieren antike Statuen oder
die Metamorphosen Ovids. Man hat im Palais Royal einen
Unverschämten gesehen, welcher auf seinen Knöpfen die

v. B., M. u. S.   — 145 —   10

Posturen Aretins trug, so daß die anständigen Damen, die sich ihm näherten, nicht wußten, wo sie hinsehen sollten". So malte Fragonard eine Garnitur mit Watteau-Szenen. Eine junge Dame beschenkte ihren Bräutigam mit einer Serie von Knöpfen, welche die bekanntesten Gemälde von Greuze darstellten. Manche der berühmtesten Miniaturmaler

Abb. 128. Daffinger, Gräfin Sofie Nariskin

haben mit derartigen Arbeiten für die Industrie der Mode ihre Karriere begonnen, von Hall, den Blarenberghe, Dumont u. a. ist es bekannt, daß sie Knöpfe gemalt haben. Dumont erhielt für den Knopf zwei bis drei Franken, aber es gab Garnituren von zwölf Knöpfen, die tausend Franken und mehr kosteten. Isabey hat seine Karriere mit dem Malen von Knöpfen begonnen, er erzählt selbst, wie er Liebesgötter, Blumen, Landschaften und andere Vorwürfe auf Knöpfen ausführte, die ihm Stück für Stück mit 12 Sols bezahlt wurden. Auf Liebesszenen und Landschaften folgten Blumenstücke, imitierte Kameen, Embleme, Insekten und Gott weiß was noch.

— 146 —

kostbaren Stücken aller Materiale und Techniken keine Bildnisdose mehr.

Das achtzehnte Jahrhundert, in dem die Dose eine so große Rolle spielte, hat auch einen Orden von der Dose gekannt. Der Dichter Jacobi, der gefühlvolle Verfasser des Woldemar, stiftete den Lorenzo-Orden von der hörnernen Dose. In Sternes empfindsamer Reise, die eben großes Entzücken erregte, tauscht Yorick seine Schildpattdose gegen die Horndose des Franziskaners Lorenzo um, weil er einen groben Ausfall von Heftigkeit gegen den armen Mönch damit gutmachen will. Mit Bezug auf diesen, allen Schöngeistern bekannten Vorgang, war das Ordenszeichen eine Horndose, auf dem Deckel Pater Lorenzo, innen Yorick zeigend. Am 4. April 1769 schreibt Jacobi an Gleim: Sollte in unserer Gesellschaft sich einer durch Hitze überwältigen lassen, so hält ihm sein Freund die Dose vor und wir haben zuviel Gefühl, um dieser Erinnerung auch in der größten Heftigkeit zu widerstehen."

Wie alle Sitten und Gebräuche, die einst im Leben der höheren Stände eine Rolle spielten, mit der Zeit wieder daraus verschwinden, um sich dann und oft noch lange in den unteren Ständen zu halten (man kann das z. B. bei den Stammbüchern beobachten), so war es auch mit dem Schnupfen. Die gute Gesellschaft läßt das Schnupfen und gibt damit auch die Dose auf, in den Kreisen des Mittelstandes hält sich aber der Gebrauch des Schnupftabaks und mit ihm die Dose. Die billige Fabrikware produziert in den sogenannten Stobwasserdosen noch mindestens ein halbes Jahrhundert hindurch den Typ der populären Dose. Nach der Ermordung Kotzebues erscheint auf ihnen das Bildnis von Karl Ludwig Sand, man sieht Paganini mit seinen mephistophelischen Zügen und in den vierziger Jahren den neuen Luther, den Begründer des Deutschkatholizismus Ronge, manchmal auf der Rückseite begleitet vom Texte seines berühmten Briefes an den Bischof von Trier. Ebenso wie in Deutschland folgt auch in Frankreich die Industrie mit ihren Dosenbildern den Zeitereignissen auf dem Fuße und hat unter der Restauration, die jede Erinnerung an die so glorreiche Kaiserzeit mit dem kleinlichen und kindischen Hasse echten Polizeigeistes verfolgte, merkwürdige Erscheinungen in diesem Genre hervorgebracht.

Die Bonapartisten hatten Dosen, die im doppelten Boden des Deckels ein Bildnis des Kaisers vor den Blicken Unbefugter versteckten, andere, deren Form dem berühmten kleinen Hütchen nachgeahmt war. Nach dem Tode Napoleons erschien auf den Dosen seiner Anhänger die Grabstätte auf St. Helena. Die Liberalen kauften sich die Dosen des Fabrikanten Touquet, auf deren Deckel der Text der Charte abgedruckt war, andere zeigten die Bildnisse von Voltaire oder Rousseau, deren Werke in Opposition gegen die klerikal-feudalen Ultras wieder stark verbreitet wurden. Emile Marco de Saint-Hilaire schrieb 1827 über die politischen Schnupftabaksdosen: „Man sollte immer zwei Dosen mit doppeltem Deckel bei sich tragen, damit man stets etwas bei der Hand hat, womit man dem Geschmack der Personen schmeicheln kann, die man zufällig trifft, gleichgültig, welches ihre politische Meinung sei. Drei Seiten derselben müssen dem Parteigeist dienen. Die erste sei bekleidet mit der Charte, wie Mr. Touquet sie vor einigen Jahren so geistreich erdacht hat, diese Seite wird man zweifellos am häufigsten zeigen dürfen. Die andere Seite wird das Bildnis des Exkaisers enthalten, dieses Porträt ist ja jetzt nicht mehr verboten. Außerdem seid ohne Furcht, ich gestehe, er war ein Usurpator, aber er besaß doch manche gute Eigenschaft. Immerhin sind ihm Freunde geblieben, die an seinem Andenken hängen und ein Mann, der vorwärts kommen will, darf niemand vernachlässigen. Die dritte Seite sei der famosen Fahne geweiht, die einst Martainville und Genossen erhoben, die weiße Fahne mit der Inschrift: „Es lebe der König."

Die Dosen für die Aufbewahrung des Schnupftabaks waren nicht die einzigen Behälter, die man damals mit Miniaturen schmückte, die Anzahl der Büchsen, die elegante Damen und Herren notwendig gebrauchten, war weit größer. Unter ihnen gebührt der Bonbonnière wohl ein Hauptplatz. Diese Schachteln wurden durch das Material, aus dem sie angefertigt wurden, und durch die auf ihre Ausschmückung verwandte Kunst zu großen und wertvollen Kostbarkeiten. In Frankreich stand Paris oben an unter den Plätzen, an denen die geschmackvollsten Werke dieser Art verfertigt wurden, in Deutschland Augsburg, Nürnberg und Dresden, in Italien Neapel. Die Pariser Juweliere Hamelin, Maillé und Drais

GYLDING, AUGUST III., KÖNIG VON POLEN

waren in den fünfziger Jahren des achtzehnten Jahrhunderts berühmt, für die kleinen Gemälde, die sie in Maleremail auf goldenen Dosen ausführten, sie wurden wegen der Vollendung ihrer Malereien in Gemäldegalerien aufgestellt. Unter den Darstellungen waren Blumenstücke in Email translucide, Vögel, die Fabeln Lafontaines, Liebesgötter und ähnliche erotische Tändeleien besonders beliebt. Wie hoch sie geschätzt wurden, geht schon daraus hervor, daß Diderot 1755 das Programm entwarf, nachdem Durand die sechs Bilder einer Tabaksdose in Email ausführte, sie stellten eine Schule der Liebe dar. In den Ausstattungen französischer Prinzessinnen nehmen kostbare Dosen aller Art einen großen Raum ein. Die hohen Bräute durften dieselben aber nicht behalten, sondern mußten sie an die Damen ihres Gefolges austeilen. Nur besondere Stücke waren für sie selbst bestimmt, so fand Marie Antoinette 1770 in ihrer Corbeille eine große achteckige goldene Büchse auf blauem Grunde in Email gemalt, die mit 160 Rosen und 28 Brillanten besetzt war und 20 746 Fr. gekostet hatte. In der Corbeille der Gräfin von Provence (ihr Gatte wurde später König als Ludwig XVIII.) war unter anderem eine sehr große von Blarenberghe in Miniaturge malte Büchse; in der Corbeille ihrer Schwägerin, der Gräfin von Artois (deren Mann als Karl X. den französischen Thron bestieg), waren 1773 Dosen mit Miniaturen nach Boucher, Teniers, Watteau u. a. Das Prunkstück der für die Prinzessin selbst bestimmten Büchse stammte von dem Juvelier Aubert, sie war in Gold und besetzt mit 689 Brillanten, 244 Smaragden und 116 Rubinen, Preis 19642 Fr. Als 1782 der spätere Kaiser Paul I. als Comte du Nord Paris besuchte, beschenkte ihn Ludwig XVI. mit einer goldenen emaillierten Büchse, welche die Miniaturen des Königs und der Kaiserin in einem Kranze von 24 Brillanten zeigte. Die Töchter Ludwigs XV., die bei Hofe ein sehr langweiliges einförmiges Leben führten, waren, wie es scheint, sehr große Liebhaberinnen derartiger Behälter. Der Juwelier Garrand lieferte 1762 an Madame Christine de France eine große ovale Goldbüchse mit dem in Brillanten gefaßten Miniaturporträt des Dauphin, umgeben von emaillierten Medaillons mit der Darstellung der vier Jahreszeiten, Preis 1650 Fr. Derselbe Juwelier hat im gleichen Jahre eine noch viel köstlichere Büchse an Madame Christine abgeliefert. Sie war von Gold und mit 8 emaillierten Bildnissen von Mesdames Adelaide, Victoire, Sophie und Louise, dem Herzog von Berry, den Grafen von Provence und Artois und Madame de France geschmückt. 2000 Brillanten bildeten die Einfassung der Miniaturen. Preis ohne die Diamanten 6800 Fr. Jacques Charlier hat einmal eine solche Büchse mit 12 großen Miniaturen hergestellt, von denen jede 1200 Fr. kostete, in heutigen Geldwert umgerechnet würde der Anschaffungspreis eines solchen Kunstwerks nach Henri Bouchot 40000 Fr. betragen.

Kleinere Dosen wurden für die Schönheitspflästerchen gebraucht, mit denen die Damen sich das Gesicht beklebten, andere für die Schminke, die man stets bei sich trug, um schadhafte Stellen der Gesichtsmalerei sofort ausbessern zu können. Auch diese schmückte man mit Miniaturen, wie denn Napoleon I. wiederholt Etuis für Zahnstocher mit seinem Bildnis versehen ließ. Die Spielwut, der in der vornehmen Gesellschaft gefrönt wurde, erforderte neue Schachteln. Um nicht mit Gold zu spielen, benutzte man Jetons, die man für sich selbst herstellen ließ, entweder in Metall oder in Elfenbein. Man hatte für das Reversis-Spiel einen besonderen Satz von vier kleineren Schachteln in einer größeren. Ein Herr de la Vaupalière, eine arge Jeuratte, bat einst seine Frau um einen solchen Satz von Dosen. Sie ließ sie ihm auch anfertigen und verzierte dieselben mit ihrem eigenen und den Miniaturbildnissen ihrer Kinder mit der Umschrift: „Denke an uns." Die hübsche Idee soll leider nicht die erhoffte Wirkung gehabt haben. Auch die Außen- oder Innenseite der Notizbücher und Brieftaschen versah man mit Miniaturen; Delbrück, der Erzieher des Prinzen Wilhelm, späteren Kaiser Wilhelm I., schenkte 1810 seinem Zögling eine hübsche Brieftasche von rotem Maroquin, die auf der Innenseite das Miniaturporträt des Lehrers enthielt. Die Erfindungsgabe hatte in bezug auf das Anbringen von Miniaturen einen außerordentlich weiten Spielraum. Kaiserin Charlotte von Rußland ließ für ihre Schwester, die Großherzogin von Mecklenburg-Schwerin, ein Lesezeichen anfertigen, an dessen unterem Ende ein kleines Herz von blauer Emaille hing. Dieses Herzchen war zu öffnen und enthielt innen eine Miniatur Kaiser Nikolaus I.

Ein ganz besonders weites Feld der Miniaturmalerei

MÜLLER, PROFESSOR PEDERALS

eröffnete sich auf den Fächern, die eigens für diese Kunstübung erfunden scheinen. Die berühmtesten und geschicktesten Künstler haben miteinander gewetteifert, um die Fächer mit dem Raffinement auszuschmücken, auf welches dieses der Koketterie geweihte Utensil Anspruch hat, es bedürfte eines ganzen Bandes für sich, wollte man der Geschichte der Fächermode nachgehen. Wie die französischen Prinzessinnen in ihrer Corbeille Fächer fanden, die sie an die Damen des Gefolges zu verteilen hatten, ebenso mußte auch jede andere Braut an ihrem Hochzeitstage den Damen der Gesellschaft Fächer verehren. Wie die Dosenbilder, so sind auch die Darstellungen der Fächerblätter der Zeitmode und den Zeitereignissen gefolgt. Heroisch unter Ludwig XIV., pikant, frivol unter Ludwig XV., galant, sinnig unter Ludwig XVI., werden sie republikanisch, schließlich kaiserlich. Die Zahl der Fächermaler ist ganz außerordentlich groß und die französischen Erzeugnisse haben auch in diesem Luxusartikel von jeher einen großen Ruf besessen. Der spanische Maler Juan Cano de Arevalo, der im siebzehnten Jahrhundert in Madrid lebte, benutzte dies Vorurteil seiner Kundinnen. Er hatte viele Fächer gemalt, ohne Abnehmer zu finden und ließ unter der Hand das Gerücht verbreiten, er habe eine Sendung französischer Fächer direkt aus Paris erhalten, da war nach wenigen Tagen sein Vorrat ausverkauft! Ein Fächer, dessen Malerei Watteau zugeschrieben wurde, erzielte vor 30 Jahren auf einer Londoner Auktion 12500 Fr.

Gerät und Geschirr.

Die Gerätschaften des persönlichen Gebrauchs wurden hauptsächlich mit Bildnisminiaturen geschmückt, wurden ihre Abbilder doch an diesen Stellen immer wieder in die Erinnerung des Benutzers zurückgerufen. In Chantilly befindet sich ein schöner Briefbeschwerer von Malachit mit Griff von Goldbronze, in den die Miniatur der Herzogin von Aumale geb. Prinzessin beider Sizilien eingelassen ist. Ein ähnliches Stück mit einer Miniatur der Prinzessin Augusta Amalia von Bayern, gemalt von Franziska Schöpfer, aus dem Besitz König Max 1. im Nationalmuseum in München.

Erzherzog Rainer besitzt ein köstliches Schreibzeug aus dem Nachlasse der Herzogin von Berry. Es ist eine Arbeit, die Alfonse Giroux 1826 in Paris angefertigt hat und zeigt die Miniaturbildnisse der Herzogin und ihrer beiden Kinder, der Sohn, später Graf Chambord genannt, die Tochter Herzogin von Parma. Außerdem sind noch vier Ansichten des Schlosses Rosny angebracht, des Sommersitzes der Herzogin. Die Kaiserin Marie Louise besaß ein Schreibzeug von Marmor und Goldbronze mit dem Miniaturbildnis der Königin Karoline von Neapel.

Zu dem Gebrauchsgerät des Tages trat, seit das Porzellan auch in Europa hergestellt wurde, auch dieses Geschirr, das bald selbst bei den ärmeren Klassen das bis dahin übliche Steingut und Zinn verdrängte. Die schöne weiße glänzende Glasur forderte zum Bemalen heraus und es dauerte nicht lange, bis die Bildnisminiatur auch vom Porzellangerät Besitz ergreift. Die Manufakturen von Meißen, Wien und Sèvres haben in Figuren und Bildnismalerei auf Porzellan Hervorragendes geleistet, besonders die beiden letzteren. Neben dem Fächer und der Dose wird die Tasse ein Gegenstand ganz besonderer Vorliebe. Man benutzt sie, man sammelt sie, man schmückt die Zimmer mit ihr; wie man sich das Rokoko nicht ohne Dose, so kann man sich das Biedermeier nicht ohne die Tasse vorstellen. Die empfindungsselige Zeit vom Ende des achtzehnten Jahrhunderts hat die Tasse zu Gefühlsausbrüchen benutzt. Der ganze Komplex von Stimmungen tränenfeuchter Überschwenglichkeit gewinnt einen Niederschlag auf der Kaffeetasse. Liebe und Freundschaft, Erinnerung an bedeutende Ereignisse und Menschen, alles findet einen Ausdruck, der sich in Bildchen und Sprüchen auf Oberkopf und Untertasse verteilt. Seit der Kaiserzeit wird das Porzellangeschirr mit Bildnissen ganz besonders beliebt und Napoleon ließ es sich angelegen sein, Ehrengeschenke bemalten Porzellans aus der Manufaktur von Sèvres zu verteilen. 1810 erhielt Graf Metternich eine Tasse mit dem Porträt der Kaiserin Marie Louise auf blauem Grunde, die 508 Fr. kostete. 1810 bekam die Königin von Neapel eine Vase mit dem Bildnis Napoleons für 1500 Fr. Die Gräfin Montesquiou im selben Jahr eine Tasse mit des Kaisers Brustbild für 300 Fr., die Königin von Westfalen eine Tasse mit

MÜLLER, PROFESSOR J. WIEDEWELT

HOYER, KÖNIGIN MARIE SOPHIE FRIEDERIKE
VON DÄNEMARK

dem Porträt der Großherzogin von Toskana für 350 Fr. Verschwenderisch werden die Geschenke kostbar bemalten Porzellans nach der Geburt und der Taufe des Königs von Rom. Der Großherzog von Würzburg als stellvertretender Pate des österreichischen Kaisers erhielt unter anderem ein Bild des Kaisers nach Gérard von Georget auf Porzellan ausgeführt für 7000 Fr. Die Mutter des Kaisers eine Tasse mit dem Bildnis Marie Louises, gemalt von Leguay nach Isabey für 500 Fr., die Königin Hortense ein Dejeuner von 12 Tassen mit den Bildern der berühmtesten Philosophen des Altertums, gemalt von Bergeret im Werte von 3740 Fr. Fürst Schwarzenberg empfing Stücke von besonderer Schönheit, eine Teekanne mit dem Porträt von Marie Louise und dem Kaiser von Österreich für 750 Fr., eine Tasse mit dem Bildnis Maria Theresias für 400 Fr. u. a. mehr.

Die Miniaturmaler, welche um diese Zeit den höchsten Ruf in Sèvres genossen, waren Isabey, dessen Table des Maréchaux schon erwähnt worden ist, ferner Charles Etienne Leguay und Madame Jaquotot. Leguay malte unter anderem ein Dejeuner, das auf Tassen und Schalen die Freuden und Leiden der Liebe darstellt, und eine große Vase mit dem Triumphzug der Diana in 33 Figuren. Dieses Prachtstück hatte drei Jahre Zeit gekostet und wurde auf 50000 Fr. geschätzt. Karl X. schenkte es bei seiner Krönung dem englischen Botschafter Herzog von Northumberland. Madame Jaquotot hatte die Spezialität der schönen Frauenköpfe auf Tassen. Die Dedikationen in Porzellan waren etwas sehr Gebräuchliches und zwar in allen Kreisen; eine ganze Porträtgalerie der Zeit ließe sich in Tassen aufstellen. Vom Könige herunter bis zum Spießbürger haben sie alle die Tasse ausgesucht, um auf diesem zerbrechlichen Material verewigt zu werden und ihr Gefühl darauf auszusprechen. Prinz Biron von Kurland stiftete seinem Vormund, dem Grafen Wassiliew als Dank für die Vollendung seiner Erziehung ein Schokoladen-Service mit den Bildnissen Friedrichs des Großen, der Königin Louise und ihrer Schwester. Man könnte die Geschichte der ersten Hälfte des neunzehnten Jahrhunderts um so mehr in Porzellan aufstellen, als zu der Tasse und dem Geschirr noch der Pfeifenkopf hinzutritt. Schnupfen und Rauchen haben einander abgelöst, der Tabak hat seine Herrschaft nicht eingebüßt, sondern nur auf ein anderes Gebiet verlegt. Das Pfeifenrauchen, im achtzehnten Jahrhundert nur in den Wachtstuben geduldet, beginnt im Anfang des neunzehnten Jahrhunderts in die Studierstube und das Wirtszimmer einzudringen. Die kurze holländische Tonpfeife, die bis dahin fast ausschließlich im Gebrauch war, macht der langen Pfeife mit dem Porzellankopf Platz und verhilft diesem dadurch zu einem bevorzugten Platz im Herzen aller Raucher. Das weiße Porzellan des Pfeifenkopfes wurde so gut bemalt, wie der Dosendeckel oder die Kaffeetasse und wenn während der Freiheitskriege die Köpfe der Fürsten und Heerführer auf denselben erschienen waren, so stellten sich bald darauf ganz andere Heroen ein. Nachdem Karl Ludwig Sand am 23. März 1819 Kotzebue ermordet hatte, trugen, wie Karl Gutzkow in seinen Jugenderinnerungen erzählt, von hundert Rauchern in Berlin gewiß 50 das gemalte Bild des unglücklichen Jünglings auf ihren Pfeifenköpfen und das gleiche berichtet Fanny Lewald aus Königsberg. Im nächsten Jahrzehnt folgte der Begeisterungsrausch des Philhellenismus und die Bildnisse von Miaulis, Kolokotroni, Marco Bozzaris und anderer Helden des Aufstandes zeugten auf den Pfeifenköpfen von der Sympathie ihrer Träger für die griechische Sache. Gervinus erinnerte sich aus seiner Jugend, wie unzufrieden sein Vater mit der griechischen Bewegung gewesen war und um sein Mißfallen auch deutlich und allen sichtbar zu demonstrieren, auf seinem Pfeifenkopf das Bild des Sultan Mahmud getragen hatte, während alle anderen Darmstädter Spießer gemalte Griechenköpfe auf ihren Pfeifen zur Schau stellten. In den dreißiger Jahren machten die Griechen wieder anderen Göttern Platz, die Führer der liberalen Bewegung in Baden, die großen Redner der Kammer, Itzstein, Welcker, Sander, Hoffmann werden auf die Pfeifenköpfe gemalt, denn diese Männer waren es, auf die damals ganz Deutschland mit Stolz und Hoffnung blickte. Die Geschichte auf dem Pfeifenkopf ließe sich noch weiterführen und über Ronge, Robert Blum und andere populäre Größen bis in unsere Tage herauf verfolgen. Der richtige Spießer von dazumal, der, wie die Polizei es wünschte, gänzlich unpolitisch war, begnügte sich auf seinem Pfeifenkopf mit dem Bildnis irgend eines schönen Mädchens. Rote

— 166 —

HORNEMANN, SELBSTBILDNIS

Backen, blaue Augen, blonde Locken und ein runder Busen befriedigten ihn weit mehr, als die heroischesten Griechen und die kühnsten Redner. Die Maler, die im Auftrage des Kronprinzen Maximilian von Bayern in den dreißiger Jahren Hohenschwangau ausmalten, sind, wie Quaglio verraten hat, durch diese Pfeifenköpfe aus einer großen Verlegenheit gerissen worden. Schwind hatte die Entwürfe für die Fresken gemacht, mit denen der Kronprinz seine Burg schmücken lassen wollte, aus Sparsamkeit aber sollte nicht er selbst die Ausführung übernehmen, sondern sie wurde Anfängern übertragen, die in ihren Forderungen bescheidener waren. Nun kamen die jungen Künstler in die größte Verlegenheit, woher sie die weiblichen Modelle für die stolzen Ritterfrauen, die minnigen Burgfräulein, die holdseligen Nymphen wohl hernehmen sollten, bis einem von ihnen die schönen Mädchenköpfe auf Pfeifenköpfen und Bierkrugdeckeln einfielen und sie retteten. Die porzellanenen Schönheiten, die von den Wänden des Königsschlosses den Beschauer grüßen, mögen wohl von der Mehrzahl für Originale Schwinds gehalten werden. Der Pfeifenkopf wurde so gut ein Ehrengeschenk, wie ihrerzeit die Dose. Dem General von Bülow, der tätig zur Aufhebung des Sklavenhandels auf den westindischen Inseln mitgewirkt hatte, stiftete König Friedrich VI. von Dänemark in Anerkennung dieser Dienste eine Tabakpfeife. Sie zeigte auf dem Porzellankopf das gemalte Bildnis des Königs und am Rohr einen Negerkopf. Zu der Zeit, als die Studenten noch aus langen Pfeifen rauchten, war die Dedikation einer solchen mit gemaltem Kopfe unter der Jugend sehr beliebt.

Das Mobiliar.

Der Kreis der Verwendung der Miniatur ist mit Schmuckgerät und Geschirr nicht abgeschlossen, man hat sie auch zur Verzierung des Mobiliars herangezogen und zwar wie es scheint, schon in früher Zeit. Ernst Lemberger spricht von einem Tisch, der sich einst im Schlosse in Weimar befand und auf seiner Platte 24 Miniaturbildnisse von Angehörigen des fürstlichen Hauses Sachsen zeigte, drei derselben trugen das bekannte Cranachsche Monogramm und die Jahreszahl 1565. Wo dieses Möbelstück sich heute befindet, ist nicht nachzuweisen. Die Schmuck- und Zierschränke des siebzehnten Jahrhunderts sind auf ihren Feldern häufig mit Feinmalereien geschmückt. Papst Alexander VII. schenkte 1663 Kaiser Leopold I. einen solchen Prachtschrank, eine Arbeit des Kunsttischlers Hermann Müller in Rom. Er ist mit Lapislazuli, Buntmarmor und Amethystmutter ausgelegt und enthält in seinen Feldern Guaschmalereien römischer Künstler, teils Szenen aus dem Leben Konstantins nach Raffael, teils Ansichten römischer Kirchen. Man benutzte für diese Prunkstücke gern den sogenannten Ruinenmarmor. Es ist ein Gestein, dessen Adern aus einiger Entfernung betrachtet täuschend antiken Ruinen gleichen, der Maler hatte nur mit spitzem Pinsel einige Figürchen, einige Bäume dazuzusetzen, um die Illusion des Bildes vollkommen zu machen. Kurfürstin Anna von Sachsen besaß einen Arbeitstisch, der ganz mit Ruinenmarmor eingelegt war. Das Wiener Hofmuseum besitzt ein Tragaltärchen in Ebenholz mit emaillierten Silberornamenten, das auf einer Marmorplatte unter Benützung der natürlichen Zeichnung des Steins die Verkündigung enthält. Im achtzehnten Jahrhundert, als die Pariser Möbelkunst unter Ludwig XVI. alle Elemente der Dekoration für ihr Prunkmobiliar heranzog, benutzte man auch bemalte Porzellanplatten, Medaillons in Eglomisé und andere Techniken der Feinmalerei, um sie zur Inkrustation in Schränke zu verwenden. Das glänzendste Beispiel dieser Häufung dekorativen Materials ist wohl der Schmuckschrank Marie Antoinettes mit den Bronzen von Thomire und den Miniaturen von Degault. Der Kunstschreiner David Röntgen in Neuwied, der in den letzten Jahrzehnten des achtzehnten Jahrhunderts Schreibschränke von größter Pracht der Intarsierung verfertigte, benutzte auch die Bildnisminiatur für seine Zwecke. Im Hohenzollern-Museum befindet sich ein solcher Sekretär Friedrich Wilhelms II., in den eine Elfenbeinminiatur des Königs eingelassen ist. Königin Louise besaß eine große Kassette mit Miniaturporträts auf den Türen, im Schlosse Favorite bei Palermo sieht man noch einen schönen Tisch aus dem Mobiliar der Königin Caroline von Neapel. Er ist von Mahagoni mit schmalen Streifen von Bronzeeinlage und zeigt in die Platte eingelassen fünf Bildnisminiaturen von Angehörigen der königlichen Familie. Auf der Mannheimer Miniaturen-Ausstellung sah

— 168 —

HORNEMANN, CHRISTIAN VIII. VON DÄNEMARK

Abb. 130. Miniaturkabinett der Reichen Zimmer in der Kgl. Residenz zu München

— 169 —

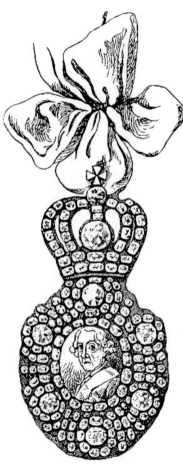

man Kanapeeflügel mit auf-
gelegten Miniaturbildnissen
und besonders zahlreich und
schön waren Möbel mit dem
Beiwerk von Miniaturen auf
derWiener Kongreß-Ausstellung zu sehen, da gab es
Schreibtische für Herren und
Damen, in deren Türen und
Klappen feingemalte Bild-
nisse befestigt waren, einen
Arbeitskorb aus Ebenholz
und Maroquin mit feinsten
Aquarellminiaturen und andere mehr. Gräfin Boigne
sah bei der Herzogin von
Chatillon einen Spiegel, in
dessen Rahmen die Dame die
Bildnisse ihrer (zahlreichen)
Liebhaber hatte einlegen lassen. Im K. K. Österr. Museum
am Stubenring ist ein Damen-
nähtisch aus ungarischem
Eschenholz mit Beschlägen
von poliertem Stahl, in dessen
Klappen sich vier Miniaturen
gemalt von Wiegand befin-
den, ebenda ein Mahagoni-
schreibtisch von Stoll mit
eingelegter Miniatur. Die
Stobwassersche Lackmalerei
ist vielfach für das Mobiliar
herangezogen worden, der
Mahagonisekretär aus dem Bierschen Vermächtnis im Berliner
Kunstgewerbe-Museum, eines der schönsten bürgerlichen
Möbel der Biedermeierzeit, zeigt innen zwei Türchen mit
Schweizer Landschaften in dieser Technik.

Abb. 132. Dosendeckel mit 23 Miniaturen

Innendekoration.

Man hat die Miniaturmalerei selbst zur Ausstattung ganzer Zimmer benutzt, der bayerische Kurfürst Max III. ließ von dem Miniaturisten Joseph Bucher ein ganzes Kabinett mit Miniaturen ausmalen. In den Reichen oder Kaiserzimmern der Münchener Residenz gelangt man zuletzt in ein kleines Schreibkabinett, dessen Dekoration François Cuvilliés entworfen hat (S. 169). Die Decke weiß mit vergoldeten Stuckornamenten von Zimmermann aus dem Jahre 1733, die vergoldeten Holzschnitzereien auf rotem Lackgrund an den Wänden und Türen von Joachim Dietrich von 1732. Die Wände zeigen ein Rahmenwerk zierlichster Rokoko-Ornamente, zwischen denen sich 128 Miniaturgemälde befinden. Es sind Kopien nach den Meisterwerken der berühmtesten deutschen,

— 171 —

italienischen, französischen und niederländischen Maler. An dieser Art der Miniaturkopien hatte man, da es doch keine mechanische Reproduktion nach den Originalen gab, großes Vergnügen. Als die spätere Herzogin Sophie von Hannover den Herzog Wolfgang Wilhelm von der Pfalz in Düsseldorf besuchte, bewunderte sie die Dekoration seines Schlafzimmers, an dessen Wänden mehr als 100 Miniaturbilder Szenen aus dem Alten und Neuen Testament, darstellten. Erzherzog Ferdinand von Tirol hatte in Schloß Ambras Hunderte von Miniaturbildnissen aus Vergangenheit und Gegenwart zusammengebracht. Kaiserin Eleonore Magdalene Theresia schenkte einmal ihrem Gatten Kaiser Leopold I. zum Namenstage ein monstranzenartiges Tragaltärchen, das unter Kristall eine Miniatur der Geburt Christi nach Dürer enthielt. David Teniers (1610—1690), der in Brüssel Hofmaler und so etwas wie der Galeriedirektor des Erzherzogs Leopold Wilhelm war, hat die Sammlung desselben wiederholt in Miniatur gemalt. Einmal in vier mittelgroßen Gemälden, welche die Wände der Galerie mit allen darauf hängenden Bildern auf das genaueste darstellen, mit solcher Treue, daß man die Stücke danach identifizieren kann und die Teniersschen Gemälde ein Hilfsmittel der kunsthistorischen Forschung geworden sind. Die Originale von Teniers befinden sich in der Münchener Alten Pinakothek, die Galerie, die er darstellt, ist in das Belvedere und mit diesem in die Wiener Hofmuseen übergegangen. Ein zweites Mal hat Teniers die Gemälde der erzherzoglichen Sammlung in Miniatur kopiert, um sie danach in Kupfer stechen zu lassen. Ein Teil dieser Miniaturen, 120 Stück, gelangte in den Besitz des Herzog von Marlborough und wurde bei der Auktion der Sammlungen von Schloß Blenheim für £ 2002 (40000 Mark) versteigert. Im achtzehnten Jahrhundert ließ Freiherr von Brabeck, der damals in Söder eine berühmte Galerie besaß, die besten Gemälde derselben von Johann Christian Kuntze aus Bonn in Miniatur kopieren, damit er die Kopien auf Reisen mit sich führen könne und seine Sammlung weniger entbehre. Die Art, wie Teniers die erzherzogliche Sammlung auf größeren Bildern abschilderte, fand Nachahmung, Th. von Frimmel hat das Material in seiner Arbeit über gemalte Galerien zusammengestellt.

DIE SILHOUETTE

Abb. 133. Johann Rud. Schellenberg, Silhouettenmaschine

Die Silhouette.

Bis zum achtzehnten Jahrhundert zählte die Kleinporträtkunst zahlreiche Künstler und verschiedene Techniken, aber sie besaß noch kein mechanisches Verfahren, das frei von Willkür ein wirklich naturgetreues Bildnis hätte liefern können. Immer stand zwischen Original und Abbild noch der Maler oder Zeichner, von dessen Auge und Hand die Ähnlichkeit abhing. Erst in der zweiten Hälfte des achtzehnten Jahrhunderts erscheint die Silhouette, um, wenn auch kein volles Bildnis, so doch den charakteristischen Profilumriß zu geben und zwar auf einem Wege, der mechanisch genug war, um auch vom Nichtkünstler begangen werden zu können. Der Ursprung der Silhouette ist ein doppelter. Sie hängt mit der Scherenkunst so eng zusammen, wie mit der Schattenkunst. Die Ausschneidekunst ist eine altgeübte Technik. G. Jacob hat ihre Existenz im mittelalterlichen Persien nachgewiesen und auf verschiedene ihrer Produkte, meist persische Texte von Ornamenten umgeben, aufmerksam gemacht, die sich in deutschen Bibliotheken befinden. Im sechzehnten Jahrhundert gab es in Konstantinopel eine Zunft von gewerbsmäßig arbeitenden Silhouettenschneidern. Die bis jetzt bekannten ältesten deutschen Silhouetten sind entschieden auf die Bekanntschaft mit dieser im Orient geübten Technik zurückzuführen. Es sind dies ein Stammbuchblatt eines Johann David Schäffer in Tübingen aus dem Jahre 1631 und eine Folge von 28 bildlichen Darstellungen aus den Jahren 1653—1654, die von einem gewissen R. V. Hus (andere schreiben den Namen Hut oder Hess) herrühren. Sie sind mit der Schere aus weißem Papier freihändig geschnitten und auf farbiges Papier aufgelegt. In dieser Manier sind im siebzehnten und achtzehnten Jahrhundert in Nonnenklöstern eine große Anzahl von Blättern entstanden, meist Ornamentverzierungen, um ein im Mittelpunkt der Darstellung befindliches Madonnen- oder Heiligenbild. Ein besonders schönes, das will sagen schwieriges kleines Kunstwerk dieser Art, ein Ex Voto aus dem Jahre 1708, befindet sich im Museum in Linz. Das Bayerische Nationalmuseum in München besitzt eine künstliche Scherenarbeit von G. M. Kellner aus dem Jahre 1746, eine Hirschjagd im Walde darstellend. Hier ist durch Übereinanderlegen der Blätter sogar versucht, perspektivische Wirkungen zu erzielen. Auch die Schattenkunst weist in ihrem Ursprung nach dem Orient und zwar auf das Schattentheater des fernsten Ostens, nach China und Java. Paul Kahle fand bei Ausgrabungen im Niltale den ganzen Puppenvorrat eines islamitischen Schattentheaters aus frühmittelalterlicher Zeit. In Hamburg existierte um das Jahr 1700 ein Schattentheater, auf dem mit Marionetten gespielt wurde. Vielleicht ist es über London nach der Hansestadt gekommen, wenigstens stammen die ersten wirklichen Bildnissilhouetten aus England.

Eine Scherenkünstlerin namens Pyburg schnitt 1699 die Köpfe des Königs Wilhelm und der Königin Mary aus schwarzem Papier aus und daß diese Übung nicht wieder vergessen wurde, beweisen Verse von Swift (†1745), die er auf Silhouetten gemacht hat. Horace Walpole bedankt sich in einem Briefe an Sir Horace Mann aus dem Jahre 1761 für Übersendung der Silhouette der Herzogin von Grafton, welche ein Scherenkünstler in Genf, der berühmt in dieser Kunst sei, angefertigt habe. Dieses Schreiben des bekannten englischen Kunstfreundes führt zu dem Zeitpunkt, in dem die Silhouette auf einmal Mode ist. Woher immer sie ihren Ursprung genommen hat und wo immer sie vor diesem Termin auch angefertigt worden sein mag, ihre Bedeutung erhält sie erst im letzten Drittel des achtzehnten Jahrhunderts, ihre Bedeutung und ihren Namen. Etienne de Silhouette (1709—67), eine Kreatur der Pompadour, wurde 1759 Generalkontrolleur der Finanzen, man würde heute sagen Finanzminister und erfreute sich anfänglich einer großen Volkstümlichkeit, denn er begann mit Ersparungen im Staatshaushalt. Seine Beliebtheit dauerte nicht länger, als bis die Staatsgläubiger, die Empfänger von Pensionen und Renten und andere Personen die Ersparnisse an ihrem eigenen Beutel zu spüren begannen. Da schlug die Liebe in Haß um und Herr von Silhouette mußte nach einer Tätigkeit von kaum acht Monaten seinen undank-

Abb. 134. Schenau-Ouvrier, Die Entstehung der Malerei.

baren Posten schon wieder aufgeben. Die spottsüchtigen
Pariser hatten aber, während er noch im Amt war, wie
Seb. Mercier, ein Schriftsteller der Zeit bemerkt, allerlei Moden,
und Spielzeugen den Namen des plötzlich so verhaßt gewor-
denen Ministers beigelegt, um ihn lächerlich zu machen und
so blieb der Name denn auch dem Schattenriß, für den Herr
von Silhouette eine Vorliebe gehabt zu haben scheint. Er erbaute sich 1759 in Brie an der Marne ein Schlößchen, in dem
verschiedene Räume mit Schattenrissen, die er selbst anzu-
fertigen pflegte, dekoriert waren. Die Silhouette, der Name
ist dem Schattenriß geblieben, verbreitete sich mit großer

Schnelle. 1760 sandte die Landgräfin Karoline von Hessen der Prinzessin Amalie einige Schattenrisse und schrieb dazu: „Man behauptet, die Not habe sie erfinden lassen, also nennt man sie nach ihrem Entdecker."

Verschiedene Momente haben zusammengewirkt, um der Silhouette, man darf wohl sagen, einen sensationellen Erfolg zu bereiten. Einmal die Leichtigkeit der Anfertigung, zu der es keinerlei Vorkenntnisse bedarf und der Reiz, der einer richtig nachgezeichneten und scharf ausgeschnittenen Silhouette innewohnt. Dazu trat die Begeisterung der Epoche für das klassische Altertum. Lichtwark hat wohl als erster darauf hingewiesen, wie nahe verwandt die Schattenrisse mit den schwarzfigurigen Vasenbildern sind, die eben damals zu Hunderten den Nekropolen des mittleren und südlichen Italien entstiegen, sehr bewundert und eifrig gesammelt wurden. Im Schattenriß lag ein wohlfeiles und überaus bequemes Mittel vor, sich des antiken Geschmacks zu bemächtigen. Als dritter Faktor kommt, wenigstens für Deutschland, die Physiognomik hinzu, die eben damals der Züricher Lavater in die Mode brachte. In seinen physiognomischen Fragmenten zur Beförderung der Menschenkenntnis und Menschenliebe, die erstmals 1775—1778 erschienen, sucht er die Kenntnis der menschlichen Seele auf die äußeren Züge des Kopfes und des Gesichtes zu begründen und benutzt, da er dabei des Bildermaterials nicht entraten kann, Porträts, lieber aber noch Silhouetten. Er äußert sich darüber im elften Fragment des zweiten Bandes wie folgt: „Das Schattenbild von einem Menschen oder menschlichen Gesichte ist das schwächste, das leerste, aber zugleich, wenn das Licht in gehöriger Entfernung gestanden, wenn das Gesicht auf eine reine Fläche gefallen, mit dieser Fläche parallel genug gewesen, das wahrste und getreueste Bild, das man von einem Menschen geben kann. Das schwächste, denn es ist nichts

Abb. 135. Goethe

Positives, es ist nur etwas Negatives, nur die Grenzlinie deshalben Gesichts, das getreueste, weil es ein unmittelbarer Abdruck der Natur ist, wie keiner, auch der geschickteste

Abb. 136. Goethe

Zeichner einen nach der Natur von freier Hand zu machen imstande ist." „Keine Kunst", fährt er etwas später fort, „reicht an die Wahrheit eines sehr gut gemachten Schattenrisses. Aus bloßen Schattenrissen habe ich mehr physiognomische Kenntnisse gesammelt, als aus allen übrigen Porträten, durch sie mein physiognomisches Gefühl mehr geschärft, als selber durch's Anschauen der immer sich wandelnden Natur. Der Schattenriß faßt die zerstreute Aufmerksamkeit zusammen, konzentriert sie bloß auf Umriß und Grenze und macht daher die Beobachtung einfacher, leichter, bestimmter, die Beobachtung und hiermit auch die Vergleichung. Die Physiognomik hat keinen zuverlässigeren, unwiderlegbareren Beweis ihrer objektiven Wahrhaftigkeit, als die Schattenrisse." Man kann sich vorstellen, wie eine solche Behauptung auf die Eitelkeit wirken mußte. Lavater, der für seine Physiognomik am liebsten die ganze Welt zur Mitarbeit herangezogen hätte, erhielt aus allen Teilen Deutschland Silhouetten in Hülle und Fülle. Wie man sich wohl heute seine Handschrift deuten läßt (was Lavater in seinen Fragmenten auch schon unternimmt), so sandte man damals seinen Schattenriß an den Züricher Physiognom, immer in Erwartung, viel Interessantes und Bedeutendes daraus erkannt zu sehen. Da Lavater in seinem großen Werk zahllose Schattenrisse vervielfältigen ließ und Kommentare dazu gab, die sich in ihrer Überschwenglichkeit heute seltsam genug ausnehmen, so war immer Hoffnung, sich in einem so berühmten und weitverbreiteten Buche ebenfalls abgebildet zu sehen. So korrespondierte z. B. Karoline von Greiner, die Mutter der Karoline Pichler, mit Lavater über ihre Silhouette und als Lavater in Begleitung seines Zeichners Schmoll am 23. Juni 1774 die Familie Goethe in Frankfurt a. Main hatte zeichnen und silhouettieren lassen, freute sich Frau Aja sehr darauf, ihr Profil in dem berühmten Buche zu erblicken. Inzwischen bat der junge Goethe den Züricher Freund, seiner Mutter Profil ja nicht zu publizieren und die Mutter erlebte die große Enttäuschung, zwar ihres Mannes, aber nicht ihr eigenes Bild in dem nächsten Bande zu finden. Sie hat diesen Schmerz lange nicht verwunden.

Das Vorgehen Lavaters zündete im ganzen Reich. 1775 schreibt Biester aus Bützow an Bürger, es herrsche „eine Wut von Schattenrissen" und ebenso schreibt Lichtenberg in dieser Zeit aus Hannover von einer „physiognomischen Raserei". Goethe hat sich der Lavaterschen Ideen über Physiognomik mit Leidenschaft bemächtigt und demzufolge das Silhouettieren geradezu sportmäßig getrieben. Nicht nur in seinen Briefen an Lavater, auch in denen an Kestner, seinen Schwager Schlosser, Jacobi, Gräfin Auguste Stolberg, Merck und andere Freunde spielten Physiognomik und Sil-

Abb. 137. Goethe mit Fritz v. Stein

houetten eine große Rolle. Wie ernstlich überzeugt er von der Richtigkeit der einen wie der anderen war, zeigen seine Bemerkungen über den Schattenriß der Frau von Stein, den ihm Zimmermann in Straßburg mitteilte, ehe er sie noch persönlich kannte: „Es wäre ein herrliches Schauspiel zu sehen, wie die Welt sich in dieser Seele spiegelt. Sie sieht die Welt

— 181 —

wie sie ist und doch durch das Medium der Liebe. So ist auch Sanftheit der allgemeine Eindruck." Goethe behielt seine Vorliebe für die Silhouette auch dann noch bei, als er von Lavaters Ideen schon zurückgekommen war. 1792 schreibt er von der Campagne in Frankreich: „Jedermann war im Silhouettieren geübt und kein Fremder zog vorüber, den man nicht abends an die Wand geworfen hätte, der Storchschnabel durfte nicht rasten." Noch im Alter hat er das Silhouettieren begünstigt und selbst geübt und z. B. für Marianne von Wille-

mer ein ganzes Album von Persönlichkeiten der Hofgesellschaft in Schattenrissen zusammengestellt. Die Silhouetten der deutschen Frühzeit haben auch für uns noch ein hohes Interesse, sind doch viele und charakteristische Schattenporträts aus dem Kreise unserer Dichterheroen erhalten. Die ganzfigurigen Bilder von Goethe, allein (S. 178, 179) oder in Gesellschaft seines Zöglings Fritz von Stein (S. 181) zeigen im Dichter den steifen Frankfurter Bürgerssohn, wie er nach den Erinnerungen des ehemaligen Hofpagen Lyncker damals der Weimarer Gesellschaft erschien. Das Pendant: Frau von Stein mit der Büste ihres Sohnes (S. 182) ist durch Kleid und Frisur ein äußerst charakteristisches Modebild. Fritz von Stein, der

Abb. 138. Frau von Stein mit der Büste ihres Sohnes

— 182 —

hier wiederholt erscheint, war der jüngste Sohn von Goethes Freundin Charlotte von Schardt, aus ihrer Ehe mit dem Stallmeister Freiherrn von Stein. Er ist ein Beispiel dafür, wie wenig Erziehung etwas über natürliche Anlagen vermag. Der Zögling Goethes, dem dieser alle Liebe und Sorgfalt seiner reichen Natur gewidmet hatte, wurde ein trockener Bürokrat, der, sobald er nur konnte, Weimar den Rücken drehte und in preußische Dienste trat. Geboren 1772, lebte er von 1783—86 ganz in Goethes Haus, wohnte,

Abb. 139. Cornelia Schlosser

als er die Universität Jena bezog, 1791 bei Schiller, verkehrte also in den Jahren der ersten und frischesten Jugend intim mit den größten Geistern, die Deutschland zu den seinen zählt und war doch erst glücklich, als er 1797 statt die ihm gebotene Stelle eines Erziehers des Erbprinzen anzunehmen, preußischer Regierungsrat in Schlesien wurde. Er kaufte sich in dieser Provinz an und wurde 1810 General-Landschaftsrepräsentant von Schlesien. Er war zweimal verheiratet, keinmal glücklich. In erster Ehe mit Helene Freiin von Stosch.

Goethes Schwester Cornelia (S. 183) verbirgt auf der Silhouette die eigentümlich fliehende Form ihrer Stirn unter einem großen Hut. Goethe hat in Wahrheit und Dichtung ein fesselndes Bild seiner Schwester entworfen. Er schreibt dort: „Sie war groß, wohl und zart gebaut und hatte etwas natürlich Würdiges in ihrem Betragen, das in eine angenehme Weichheit verschmolz. Die Züge ihres Gesichts, weder bedeutend noch schön, sprachen von einem Wesen, das weder mit sich einig war noch werden konnte. Ihre Augen waren nicht die schönsten, die ich jemals sah, aber

— 183 —

Abb. 140. Schiller

die tiefsten, hinter denen man
am meisten erwartete und wenn
sie irgend eine Neigung, eine
Liebe ausdrückten, einen Glanz
hatten ohnegleichen. Und doch
war dieser Ausdruck eigentlich
nicht zärtlich, wie der, der aus
dem Herzen kommt und zugleich
etwas Sehnsüchtiges und Ver-
langendes mit sich führt. Dieser
Ausdruck kam aus der Seele, er
war voll und reich, er schien
nur geben zu wollen, nicht des
Empfangens zu bedürfen. Was
ihr Gesicht aber ganz eigentlich
entstellte, so daß sie manchmal wirklich häßlich aussehen
konnte, war die Mode jener Zeit, welche nicht allein die
Stirn entblößte, sondern auch alles tat, um sie scheinbar
oder wirklich, zufällig oder vorsätzlich zu vergrößern. Da
sie nun die weiblichste, reingewölbteste Stirn hatte und
dabei ein paar starke schwarze Augenbrauen und vor-
liegende Augen, so entstand aus diesen Verhältnissen ein
Kontrast, der einen jeden Fremden für den ersten Augenblick wohl nicht abstieß, doch wenig-
stens nicht anzog. Sie empfand es
früh, und dies Gefühl ward immer
peinlicher, je mehr sie in die Jahre
trat, wo beide Geschlechter eine
unschuldige Freude empfinden, sich
wechselseitig angenehm zu werden.
Niemandem kann seine eigene Gestalt zuwider sein, der Häßlichste
wie der Schönste hat das Recht, sich
seiner Gegenwart zu freuen und da
das Wohlwollen verschönt, und sich
jedermann mit Wohlwollen im Spiegel besieht, so kann man behaupten,
daß jeder sich auch mit Wohlge-
fallen erblicken müsse, selbst wenn

Abb. 141. Charlotte von Schiller

— 184 —

er sich dagegen sträuben wollte. Meine Schwester hatte jedoch eine so entschiedene Anlage zum Verstand, daß sie hier unmöglich blind und albern sein konnte. Sie wußte vielmehr deutlicher als billig, daß sie hinter ihren Gespielinnen an äußerer Schönheit sehr weit zurückstehe, ohne zu ihrem

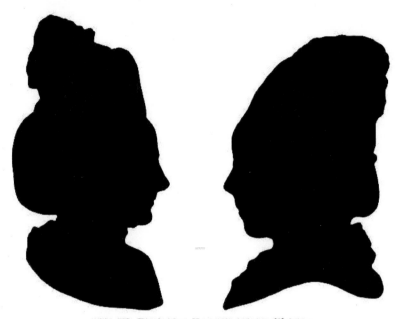

Abb. 142. Die beiden Herzoginnen von Weimar

Troste zu fühlen, daß sie ihnen an inneren Vorzügen unendlich überlegen sei. Freilich wenn ihr Aeußeres einigermaßen abstoßend war, so wirkte das Innere, das hindurchblickte, mehr ablehnend als anziehend, denn die Gegenwart einer jeden Würde weist den andern auf sich selbst zurück.« Cornelia Goethe heiratete am 1. November 1773 Johann Georg Schlosser und starb, seit dieser Zeit dauernd kränklich, schon am 24. September 1777. Der Witwer heiratete zwei Jahre später Johanna Fahlmer, eine Freundin Goethes, mit dem sie anmutige Briefe gewechselt hat. Die Silhouette Schillers (S. 184) stellt das älteste bekannte Bild des Dichters dar. Sie stammt aus dem Nachlaß seiner Schwe-

— 185 —

ster Christophine Reinwald und dürfte etwa um das Jahr 1772 entstanden sein. Neben ihm seine Gattin Charlotte von Schiller, geb. von Lengefeld (S. 181). Sie war 1766 geboren, heiratete 1790, wurde 1805 Witwe und starb 21 Jahre nach ihrem berühmten Mann 1825 in Bonn. Die Herzoginnen Anna Amalia (1739—1807) und Louise (1757—1830) von Sachsen-Weimar (S. 185) sind die Königinnen des kleinen Musenhofes an der

Abb. 143. Charlotte Kestner

Ilm. Anna Amalia, die zu allem Geschick hatte und die Regierung ihres Ländchens 1758 für ihren unmündigen Sohn antrat, während sie selbst noch unmündig war, galt auch im Silhouettieren als Meisterin. Charlotte Kestner geb. Buff (S. 186) ist das Urbild von Werthers Lotte, sie war geboren 1753 und starb 1828. Joachim Heinrich Campe (S. 187) der bekannte Pädagog (1746—1818), wäre trotz seiner Verdienste vielleicht nur noch in den Kreisen der Fachleute bekannt, hätte er nicht den Robinson bei uns eingeführt. Seine Bearbeitung, trotzdem sie durch die entsetzlich törichten Zwischenfragen („Vater was ist eine Kutsche?") ihren jugendlichen

— 186 —

Lesern eine Geduldsprüfung war, erschien 1779 zum ersten-mal und erlebte binnen 85 Jahren 67 rechtmäßige Auflagen.
Zu den frühen deutschen Silhouetten gehört auch jene der Markgräfin Friederike Caroline von Ansbach (1735/1791) (S. 202). Sie war eine Prinzessin von Sachsen-Saalfeld und heiratete 1751 den Markgrafen Alexander von Ansbach, der ein Jahr jünger war als sie. Die Ehe war wenig glücklich,

Abb. 144. Campe

trotz oder weil die Freundin des Markgrafen, die berühmte französische Tragödin Clairon, sich Mühe gab, die fürstlichen Gatten miteinander zu vertragen. Die Markgräfin hatte nicht sobald die Augen geschlossen, als ihr beglückter Witwer auf sein Thrönchen verzichtete, seine Länder an Preußen ab-trat und noch im selben Jahre eine andere seiner Freun-dinnen, Elisabeth Berkeley, Witwe des Lord Craven, heim-führte. Er zog mit ihr nach England, aber trotzdem er ihr 1801 noch den Titel Reichsfürstin von Berkeley verschaffte, vermochte er nicht ihre Aufnahme in die fashionable Gesell-schaft durchzusetzen. In Brandenburgh House und Benham Valence pflegte sie eine große Geselligkeit, aber immer etwas abseits der maßgebenden Kreise, die der „Marggra-

— 187 —

vine", wie man sie nannte, das jahrelange außereheliche Verhältnis nicht vergessen wollten.

Wenn der Modesport auf einen Goethe so stark wirkte, so mag man leicht ermessen, wie weite Kreise er in der Allgemeinheit zog. Man sammelte und tauschte Silhouetten, wie heute Briefmarken. Seit die Biedermeiermode die Aufmerksamkeit wieder auf die Silhouetten hinlenkte, Julius Leisching, E. Nevil Jackson u. a. die Geschichte derselben behandelten, sind auch eine große Anzahl von Silhouetten-

Abb. 145. Schattenzeichner

sammlungen des achtzehnten Jahrhunderts ans Licht gezogen worden. Ernst Kroker publizierte die Sammlung des Schönburgschen Rates Georg Friedrich Ayrer; Hans Knudsen die von Wilhelm Christ. Dietr. Meyer, der Theaterregisseur in Mannheim gewesen war; Paul Zimmermann die von J. A. Leisewitz. Leo Grünstein hat den Silhouettennachlaß von Johann Heinrich Merck in Darmstadt hervorgesucht, Th. Kroeber in Weimar und Gotha bedeutende Funde aus der Blütezeit der Schattenrißkunst gemacht. Eine große Reihe von Ausstellungen in Berlin, Brünn, Danzig, Düsseldorf zeigte,

— 183 —

Abb. 116. Unbekannt. Königin Luise am Schreibtisch

daß die Silhouette, sie sei gezeichnet oder geschnitten, mehr als bloße Spielerei ist, daß sie sich zum Range der Kunst erheben kann.

Diese Sammlungen geben darüber Auskunft, wie der Geschmack an der Silhouette zunahm. Von den 1370 Stück,

Abb. 147. Schüttner. 1843

die der Rat Ayrer als Studiosus zusammenbrachte, entfallen
nur ganz wenige auf die Jahre 1761—1767, während der aller-
größte Teil aus den Jahren 1768—79 stammt. Um 1780 ist
ein Höhepunkt festzustellen, denn in diesem und dem Vor-
jahre erschienen in Münster, Leipzig und Frankfurt a. Main
gleich drei Handbücher, die theoretische Anweisung im Sil-
houettenzeichnen erteilten. 1778 machte der junge Ayrer die
Gesellschaft in Lausanne mit der Silhouette bekannt. Um
dieselbe Zeit lernten sie die Hamburger kennen und das Jahr
1780 nennt Johanna Schopenhauer in ihren Erinnerungen als
dasjenige, in dem das Silhouettieren in Danzig erst so recht
in Schwung gekommen sei. Wenn man in allen Kreisen der
Gesellschaft das Silhouettieren mit der ganzen Leidenschaft
einer Modelaune trieb, so waren daneben auch zahlreiche
Künstler auf die Silhouette als ihren Broterwerb angewiesen.
Auch dafür bildet das Jahr 1780 den Wendepunkt. Leisching
hat festgestellt, das Meusels Künstlerlexikon, das in seiner
Ausgabe von 1778 noch keinen Silhouettisten kennt, im Jahre
1789 schon mehrere namhaft macht. Da sind C. D. Henning
und Andreas Leonhard Möglich aus Nürnberg, Ernst Valen-
tini aus Detmold, Bernhard Rode und G. J. Burmester in Berlin; Johann Gottlieb Solbrig und Johann Adolf Opitz aus
Dresden, von denen der letztere seine Silhoutten sogar in den

— 190 —

öffentlichen Kunstausstellungen der Akademie vorführte. Ein gewisser Näther zog um das Jahr 1800 herum zwischen Leipzig, Halle, Magdeburg, Halberstadt, Dresden, Bautzen, Zittau, Görlitz umher und machte das Silhouettieren zum Lebensberuf. Johann Friedrich Anthing aus Gotha bereiste von 1783—1800 halb Europa und hat eine Sammlung von 100 Stück der von ihm gefertigten Silhouetten in Kupferstich veröffentlicht. Dies Werkchen ist so selten geworden, daß Professor Schüddekopf es in diesem Jahre für die Gesellschaft der Bibliophilen neu herausgegeben hat. Wie die Meister der Miniatur sich eigene Manieren erfanden, so konstruierten die Silhouetteure sich besondere Apparate. Der Petersburger Leonhard Heinrich Hessel (geb. 1757), der in Nürnberg arbeitete, erfand eine Maschine, den Hesselischen Treffer, der das Sihouettieren auch bei Tage erlaubte. Ernst Christian Specht aus Gotha baute sich zu diesem Zweck eine eigene Maschine aus Glas. Jakob von Döhren machte eine Erfindung, die er Boumagie nannte, d. h. eine Möglichkeit, Silhouetten zu klischieren. Auf dem Bild aus Lavaters Physiognomik (S. 188) sieht man einen Silhouetteur an seiner Maschine bei der Arbeit. In Wien wurde der Verlag des Buchhändlers Löschenkohl geradezu eine Silhouettenfabrik, er

Abb. 148. Duttenhofer, Matthison, der Dichter, vor seinem König

— 191 —

soll in seiner Rührigkeit einmal sogar die Schattenrisse der marokkanischen Botschaft veröffentlicht haben, ehe die Mitglieder derselben noch irgend jemand zu Gesicht gekommen waren.

Abb. 149. Uhland

Anfänglich hatte man sich darauf beschränkt, das knappe Brustbild wiederzugeben in der tiefen Schwärze des Schlagschattens, dann begann man, die Aufgabe weiter zu fassen und schnitt die ganzen Figuren aus. Solche Bilder sind zahlreich erhalten, sie bedurften, wie das der Königin Louise am Schreibtisch (S. 189), großer Sorgfalt in der Ausführung, wollte man all den zierlichen Details der Figur, der Toilette und des Mobiliars gerecht werden.

— 192 —

In diese Klasse gehört das Bild der königlich preußischen Familie (S. 196), das Friedrich Wilhelm II. und die Seinen darstellt. Rechts der König (1744—1797), links seine zweite Gemahlin Friederike, eine geborene Prinzessin von Hessen-Darmstadt. Sie hatten 1769 geheiratet, einige Monate,

Abb. 150. Die Redakteurin Therese Huber

nachdem der König, damals noch Prinz von Preußen, von seiner ersten Frau geschieden worden war. Königin Friederike überlebte ihren Gatten nur acht Jahre. Seine erste geschiedene Frau, Elisabeth, Prinzessin von Braunschweig, ist erst 1840 in Stettin, wo sie im Schlosse in halber Gefangenschaft gehalten wurde, gestorben. Die älteste Tochter Friederike (1767—1820) wurde 1791 Herzogin von York. Sie gab die Veranlassung zu der Mode der kurzen Taillen, denn als sie in andere Umstände kam und ihre Figur sich dadurch sehr veränderte, begannen die englischen Damen sich Kissen vorn unter den Gürtel zu binden, um ebenso auszusehen, wie die sehr beliebte Fürstin. Die zweite Tochter Wilhelmine (1774—1837) heiratete den Prinzen Wilhelm der Niederlande, der unter dem Namen Wilhelm I., durch Beschluß des Wiener Kongresses, erster König der Niederlande wurde und sich trotz seines hohen Alters nach dem Tode

Abb. 151. Lord Byron

seiner Frau nochmals verehelichte. Er entsagte dem Thron und heiratete 1841 die Gräfin Henriette d'Oultremont, der er den Titel Gräfin Nassau verlieh. Das glückliche Paar lebte zum Skandal der Berliner Hofgesellschaft in dem Palais der Wilhelmstraße, das dem Prinzen Albrecht, dem Schwiegersohn des Königs, gehörte. Die dritte Tochter Augusta (1780—1841) war unglücklich genug, an den Prinzen Wilhelm von Hessen-Cassel verheiratet zu werden, der als Kurfürst Wilhelm II. so berüchtigt geworden ist. Nicht einmal die Rücksicht auf den Berliner Hof hielt den Prinzen davon

— 194 —

ab, seine Gemahlin auf das un-
würdigste zu behandeln. Im
Interesse der bedauernswerten
Fürstin unternahm Varnhagen
von Ense eine Reise nach Cassel,
die letzte diplomatische Mission,
die dem ewig unzufriedenen
Tagebuchschreiber anvertraut
wurde. Der älteste Sohn des
Königs ist der Kronprinz, der
als Friedrich Wilhelm III. den
preußischen Thron bestieg. Neben ihm sein Bruder Ludwig
(1773—1796). Beide Brüder hei-
rateten 1793 die schönen mecklen-
burgischen Schwestern, der
Kronprinz Prinzessin Luise,
Prinz Ludwig Prinzessin Friede-

Abb. 152. Unbekannte Dame um 1830

rike. Sie hat nach dem Tode ihres Mannes noch zweimal
geheiratet, zuerst den Prinzen Friedrich Wilhelm von
Solms-Braunfels, dann den Herzog Ernst August von
Cumberland, der König von Hannover wurde. Die jüngeren
Söhne, die auf der Silhouette noch als Knaben erscheinen,
sind Prinz Heinrich (1781—1846) und Prinz Wilhelm
(1783—1851). Der erstere trug den Titel eines Großmeisters
der Johanniter und lebte jahrzehntelang in Rom. Moltke
war zuletzt sein Adjutant und fand in dieser Stellung Muße
genug, eine Karte der Campagna di Roma zu entwerfen.
Prinz Wilhelm „Bruder" genannt, zum Unterschied von
Prinz Wilhelm „Sohn", dem späteren Kaiser Wilhelm I.,
war vermählt mit der Prinzessin Marianne von Hessen-
Homburg (1785—1846), einer überaus sympathischen Dame,
die in den Erinnerungen und Briefen jener Jahrzehnte eine
große Rolle spielt.

Man ging dann in der Ausmalung noch einen Schritt
weiter und begann das Beiwerk der Haare, Kleidung,
Sekmuck mit weißer Tusche auszumalen, schließlich hat man,
und man wird das wohl eine Geschmacksverirrung nennen
dürfen, mehrfigurige Bilder zusammengestellt. So erschienen
bei Löschenkohl in Wien Darstellungen der letzten Stunden

— 195 —   13*

Abb. 153. Friedrich Wilhelm II. und seine Familie

Maria Theresias, der Promenade am Praterstern, u. a., in der die Lokalitäten und die Kleidung der Personen genau ausgeführt sind, während alle Köpfe im schwarzen Profil erscheinen. Diese Manier wurde sogar für Familienbilder außerordentlich beliebt.

So ist auch die Silhouette hergestellt, die „Borussias Trauer am Sarge des Prinzen Friedrich Ludwig Carl" darstellt (Seite 197). Er war der zweite Sohn König Friedrich Wilhelm II. von Preußen und starb, erst 23 Jahre alt, 1796. Dieses papierene Denkmal wird seinem Künstler nicht so viel Verdruß eingetragen haben, wie das Marmormonument, welches die Witwe des Verstorbenen Schadow in Auftrag gab, das niemals zur Ausführung kommen sollte. Das einfache Schwarz und Weiß des ursprünglichen Schattenrisses wurde, je länger die Mode andauerte, je häufiger va-

— 196 —

riiert, man legte die schwarzen Ausschnitte auf farbigen Grund, auf Gold; man tauschte auch die Töne so miteinander aus, daß man weiße Silhouetten auf schwarzen Grund legte.

Eine solche, man möchte sagen verkehrte Silhouette, ist die von Lord Byron (S. 194), geschnitten von Mrs. Leigh Hunt zwischen Januar und Juni 1822, nur zwei Jahre vor des Dichters Tode. Er lebte damals mit seiner schönen Freundin, der Gräfin Teresa Guiccioli in Pisa. Während dieses Aufenthaltes verlor er seinen Freund Shelley, der auf einer Segelfahrt zwischen Livorno und Lerici ertrank. Byron veranstaltete ihm ein Leichenbegängnis, das zu jener Zeit ungeheueres Aufsehen erregte. Er ließ die Leiche des Freundes auf einem Scheiterhaufen am Meeresufer verbrennen und die gesammelte Asche an der Pyramide des Cestius in Rom beisetzen. Dort findet der Wanderer noch heute das Denkmal der Freundschaft zweier Dichter.

Diese Art der hellen Silhouette ist viel zu Spielereien benutzt worden. Man versteckte in die Umrisse irgend eines Schwarzweiß-Bildes die Silhouette einer Figur, die mit der eigentlichen Darstellung nichts zu tun hatte

Abb. 154. Borussiens Trauer am Sarge des Prinzen Friedrich Ludwig Carl

— 197 —

und recht mühsam gesucht werden mußte. So gab es zur Schreckenszeit in Paris Dosen mit Bildern einer Trauerweide über Gräbern. Sah man genau hin, so entdeckte man in den Zweigen des Baumes die weißen Silhouetten des hingerichteten Königspaares und seiner Kinder. Später machte man es ebenso mit den Umrissen des Petit caporal. Vor etwa 40 Jahren war dieses Versteckspielen und Rätselraten wieder Mode mit „Wo ist die Katz". In den illustrierten und Familienblättern jener Zeit findet man noch die Spuren davon.

Diese Raffinements der technischen Ausführung entstellten den eigentlichen Charakter des Schattenrisses und kündigten den Verfall der ganzen Kunstart an.

Die Blüteperiode der Silhouette ist für Deutschland das letzte Drittel des achtzehnten Jahrhunderts, vom Beginn des neunzehnten an verschwindet sie mehr und mehr aus der guten Gesellschaft, um sich im Mittelstande und bei Studenten allerdings noch lange ungeteilter Gunst zu erfreuen. Sie hat in dieser Periode noch Künstler gekannt, welche ihre Technik ausübten, aber diese Erscheinungen bleiben vereinzelt. Der Hamburger Otto Philipp Runge war ein geistreicher Scherenkünstler, von dessen Pflanzenstudien Goethe, als er 1806 mit ihnen bekannt wurde, hochentzückt war und gleich ein ganzes Zimmer mit ihnen austapezieren wollte. Lichtwark hat sie gesammelt und herausgegeben. Um die gleiche Zeit lebte in Stuttgart eine Silhouettenkünstlerin, die Pazaurek aus unverdienter Vergessenheit riß. Christiane Louise Duttenhofer, geb. Hummel (1776—1829) handhabte die Schere mit einer wahrhaft souveränen Geschicklichkeit; Grazie und Anmut, überlegener Spott, bissige Satire, alles steht ihr zu Gebot. Wie boshaft spielt sie Friedrich von Matthison (1761 bis 1831) mit, dem sanft larmoyanten Dichter, hinter dessen weinerlicher Lyrik man die Talente zum Hofmann, die ihm die Künstlerin vindiziert, gar nicht suchen sollte (S. 191). Aber freilich was tut auch ein Dichter nicht, um wie Matthison in rascher Folge den Adel zu erhalten, Geheimrat, Hoftheater-Intendant und Oberbibliothekar zu werden!? Gegen ihn nimmt sich der jugendliche Ludwig Uhland (1787—1862) allerdings ganz anders aus (S. 192). Dort der geschmeidige Hofmann, hier der steifnackige Oppositionsmann, dem das

— 198 —

„alte gute Recht" das Höchste auf der Welt bleibt. So fein
wie diese hat die Duttenhofer auch Therese Huber (S. 193) zu
charakterisieren gewußt. Sie hat die damals berühmte Frau
porträtiert in der Zeit, als Therese Huber die Redaktion des
einflußreichen Cottaschen Morgenblattes führte und dadurch
viel Ärger und Verdruß u. a. mit Müllner, dem Verfasser der
„Schuld" hatte. Therese Heyne (1764—1829) war die Tochter
des berühmten Philologen Heyne in Göttingen und heiratete
1784 den unsteten und unruhigen Johann Georg Forster.
1794 wurde sie die Frau von L. F. Huber, mit dem sie in
kurzer aber glücklicher Ehe lebte. Neben der Duttenhofer
darf man als begabte Scherenkünstler aus dieser Epoche
vielleicht noch Varnhagen von Ense und Adele Schopenhauer,
die Schwester des Philosophen nennen. Varnhagen war
durch seine Geschicklichkeit im Ausschneiden schon berühmt,
als er noch nicht der Mann seiner berühmten Frau war, Adele
Schopenhauer, die so hübsche Tagebücher schrieb, hat ihrer
Fingerfertigkeit im Ausschneiden wegen sich wiederholt
Goethes in Versen ausgesprochenes Lob errungen.

Das eigentliche Land der Silhouette ist Deutschland. Sie
hat weder in Frankreich, woher sie den Namen empfing, noch
in England, von wo sie ausgegangen zu sein scheint, die
allgemeine Verbreitung erlangt, wie diesseits des Rheines.
In Frankreich hat sie überhaupt kaum eine Rolle gespielt.
In der Korrespondenz von Grimm wird 1772 ein gewisser
Huber als Ausschneidekünstler gerühmt, er war ein Schweizer, den Voltaire protegierte. Der einzige bekannte französische Silhouettenkünstler François Gonord fand in Paris
sein Brot nicht und mußte sich auf Reisen nach London und
Wien machen, um sein Glück zu suchen. 1788 wohnte er im
Palais Royal und fertigte Silhouetten von 24 Sols bis zu 75 Fr.;
Silhouetten à l'anglaise, d. h. mit ausgemalter Toilette und
Coiffure kosteten 120 Fr., kolorierte Silhouetten 250 Fr. Ein
anderer französischer Silhouettist, Auguste Edouart, verließ
ebenfalls die Heimat, um sich in England niederzulassen, wo
er sich in Porträts auszeichnete, die er aus Haaren anfertigte.
Frau von Genlis, einst als Pädagogin und Romanschrift-
stellerin berühmt, versuchte sich auch im Ausschneiden und
war von ihrer Kunst jedenfalls selbst sehr entzückt, denn sie
zeigte ihre Leistungen der Gräfin Apponyi mit der Bemer-

kung: „Etwas so vollkommenes haben Sie doch gewiß noch nie gesehen?" Von englischen Silhouettenschneidern des achtzehnten Jahrhunderts nennt Jakson John Miers in Leads und A. Charles in London, der Silhouetten im Preise von 2/6 bis zu £ 44. verfertigte. Eine Mrs. Edward Beetham erfand eine Maschine, welche die Silhouette gleich in der notwendigen Verkleinerung wiedergab, ein Mr. Tussaud, Sohn der Mme. Tussaud, deren Wachsfiguren-Kabinett um die Wende des achtzehnten zum neunzehnten Jahrhundert eine Weltberühmtheit besaß, erfand ebenfalls eine Maschine zum Silhouettieren. Seine Ausschnitte kosteten 2 bis 7 Shilling.

Hinsichtlich der Technik hat die Silhouettenkunst die gleichen beinahe unbegrenzten Möglichkeiten der Vervielfältigung besessen, wie die Miniaturporträtkunst sie auch in der Malerei schon ausgebildet hatte. Man hat den Schattenriß ausgeschnitten, getuscht, gezeichnet, in Kupfer gestochen, ihn auf Vivatbänder, auf Fächer und in Bücher gedruckt, ihn auf Porzellan, auf Emaille, in Eglomisé gemalt, in Glas geschliffen mit einem Wort nichts unversucht gelassen, ihn reizvoll zu gestalten und zur Verzierung zu gebrauchen. Auch bezüglich der Verwendung steht die Silhouette nicht hinter der Miniatur zurück. Man hat sie genau so viel als Schmuck von Medaillons und Ringen getragen wie jene. Als Frau Rath Weihnachten 1785 ein Medaillon mit ihrer Silhouette an Fräulein von Göchhausen nach Weimar schickt, da bedankt sich diese überschwenglich und behauptet, der ganze Hof beneide sie um diesen Schmuck. Die verschiedenen Porzellanmanufakturen haben sich sehr rasch der Silhouette bemächtigt. In Wien fertigte man Vasen, die nach Art der griechischen schwarzfigurigen Gefäße mit Silhouetten verziert waren, es gibt Ludwigsburger Porzellan mit schwarzen Friesen nach Vorlagen der Duttenhofer, Worcesterchina mit Silhouetten der englischen Monarchen, Sèvres-Tassen mit der Silhouette Mirabeaus. Für sein Lieblingsschlößchen auf der Pfaueninsel ließ Friedrich Wilhelm II. ein ganzes Kaffeeservice anfertigen, von dem jedes Stück die Silhouette eines Mitgliedes der Königlichen Familie zeigt. Im Nachlasse Friedrichs des Großen befand sich ein goldenes weiß-emailliertes Etui mit der Silhouette der Herzogin von Braunschweig. Auf den Dosen, die von der Industrie in Massen hergestellt

— 200 —

Abb. 155. Kleiner Schreibtisch der Königin Luise,
Hohenzollern-Museum, Schloß Monbijou

wurden, findet man Silhouetten ebenso häufig wie auf Pfeifenköpfen. Königin Louise besaß einen kleinen Schreibtisch von der Art, wie man sie damals „bonheur du jour" nannte, der auf dem Rolladen mit einer Silhouette bemalt ist. Für das württembergische Hüttenwerk Wasseralfingen modellierten G. K. Weitbrecht (1796—1836) und sein Schüler Christian Plock (1809—1882) Relieffiguren in Silhouettenmanier, die in Eisen gegossen und zur Verzierung von Möbeln, Gerätschaften und Bauteilen verwendet wurden. Neuausgüsse der alten Formen findet man bei A. Wertheim in Berlin in großer Auswahl. Ein ganzes Schattentheater eröffnete Seraphin Dominique François 1771 als Théâtre Seraphin in Paris, in Deutschland haben Graf Pocci und Clemens Brentano für die Ombres chinoises Stücke geschrieben. Der Maler und Kupferstecher Kennedy, in Frankreich Quénédey geschrieben (1756—1830), machte das Prinzip der Silhouette für den Porträtstisch nutzbar, indem er einen von Chrétien erfundenen Apparat den „Physionotrace" verbesserte und mit seiner Hilfe ziemlich mechanisch Tausende von Porträts schuf.

Abb. 156.
Markgräfin
Friederike Caroline
von Ansbach

Alphabetisches Register

der Namen der Künstler und der Dargestellten.

— 205 —

— 206 —